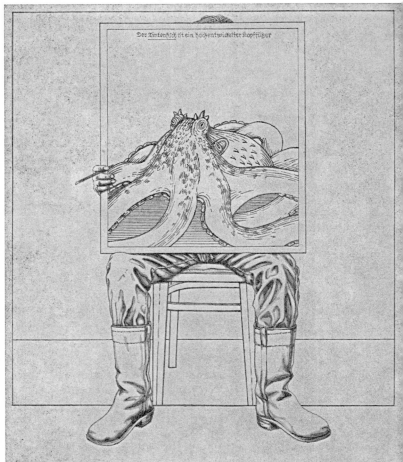

Der Tintenfisch ist ein hochentwickelter Kopffüßer

>> Zu Gunsten des Tintenfisches geändertes Selbstporträt <<

Tintenfisch 17

Jahrbuch für Literatur

Herausgegeben von
Michael Krüger und Klaus Wagenbach

Verlag Klaus Wagenbach Berlin   1979

Wenn man Literatur als Versuch ansieht, politische und ästheti-
sche Absichten zu *vereinen*, kurz: Realität zur Wahrheit umzu-
lügen, dann werden die Verfasser der ›jüngeren deutschen Literatur‹ (mindestens) fünfzig Jahre alt. Diese ältere jüngere Literatur
hält beharrlich an solchen Absichten fest, wohingegen einem großen Teil der jüngeren jüngeren Literatur die jetzigen Zustände
viel stärker die Imagination zu blockieren und die Sprache zu ver-
schlagen scheinen, obwohl die Zustände der fünfziger und sech-
ziger Jahre auch nicht eben kunstfreundlich waren.
Das gilt auch für die Leser und Kritiker: *Uns* hat jedenfalls *ihre*
Überraschung über den dreißigjährigen Dissens deutscher Schriftsteller mit dem Staat (wie wir ihn im Quartheft »Vaterland, Mut-
tersprache« dokumentiert haben) überrascht, weil dieser Konflikt
heute offenbar bereits als ›maßlos‹ erscheint.
Je stärker die Versorgungsmentalität um sich greift, umso leichter
wird künstlerische Arbeit als ›maßlos‹ angesehen, wo es doch ums
›Machbare‹ geht. Sie hat ja auch nicht einmal mehr die Rücken-
deckung des Bürgertums, das sich inzwischen eine Freizeitkultur
erlaubt, die noch ihre Väter hätte schamrot werden lassen.
Da haben es jüngere Autoren schwer, wir verkennen es nicht. Aber
ein wenig mehr Kollegen als Brecht könnte man schon lesen, etwas
deutscher (und also unsere Geschichte *wahr*nehmend) dürfte man
sich schon fühlen, um etwas weniger ›deutsch‹ zu sein. Etwas neu-
gieriger und aushäusiger, etwas weniger pompös-privat, links-
haberisch oder vereinsmuffig. Denn: das maulfaule Silbenstechen,
der mäßige Naturalismus, die große Angst vor der kleinen Wut,
die mittlere Hoffnung und die mittleren Gefühle – das gehört
eigentlich nicht zu einer ›jüngeren‹ Literatur.

Michael Krüger   Klaus Wagenbach

Manuskripte für den ›Tintenfisch‹ werden an die Adresse des Verlages erbeten
(Verlag Klaus Wagenbach, Bamberger Str. 6, 1 Berlin 30). Wir bitten die Autoren
um Verständnis, daß die Einsendungen nicht einzeln beantwortet werden können.

© 1979 Verlag Klaus Wagenbach, Bamberger Str. 6, Berlin 30
Satz und Druck: Poeschel & Schulz-Schomburgk, Eschwege
Bindung: Hans Klotz, Augsburg
Schrift: Borgis, Petit und Kolonel Linotype-Baskerville-Antiqua
Printed in Germany. Alle Rechte vorbehalten
ISBN 3 8031 0102 6

Inhalt

Zitate von Volker Braun, Christian Enzensberger, Elke Erb, Peter Fischer, Ludwig Harig, Rolf Hochhuth, Karin Kiwus, Alexander Kluge, Oskar Negt, Oskar Pastior, Lutz Rathenow, Christa Reinig, Gerlind Reinshagen, Mike Schwarz, Hans-Jürgen Syberberg, Hannelies Taschau, Ralf Thenior, Martin Walser, Urs Widmer, Peter Paul Zahl.

Autoren wollen, völlig idiotischerweise und gegen ihre Interessen, möglichst wenig lektoriert werden. Sie wollen *geliebt* werden, und niemand liebt besser als die starke Vaterfigur, Verleger geheißen. Die sogenannten Verlegerpersönlichkeiten der guten alten Zeit erfüllten diese Funktion perfekt, sie rochen kurz am Manuskript und gingen dann mit dem Autor einen Schnaps trinken. Und in der Zwischenzeit machten stille brillentragende Lektoren ein neues Programm mit neuen Autoren, die wieder nur scharf darauf waren, mit dem Verleger einen Schnaps zu trinken.

URS WIDMER

Peter Bichsel *Wo wohnen wir?*

In der Stadt ist Monatsmarkt, immer am zweiten Montag des Monats, seit Jahrhunderten. Die Bauern sind in der Stadt. Sie kaufen keine Kälber mehr hier, und sie führen ihre Prachtskühe nicht mehr vor. Hosenträger gibt es noch zu kaufen, aber sie sind nicht mehr das große Geschäft. Eigentlich sollten die Bauern andere Bauern sein, als es die Bauern vor Jahrzehnten waren. Sie haben zu Hause dasselbe Fernsehen wie wir in der Stadt, sie sehen dasselbe »Laufende Band« und – weiß der Teufel, es ist traurig – auch sie mögen ihn und es.
Sie haben zu Hause Maschinen, moderne Maschinen, und sie verstehen was von Motoren –
aber, und das überrascht mich, sie sind noch Bauern, und man erkennt sie hier in der Stadt. Sie tragen Hüte, nur noch vereinzelt Rucksäcke. Aber es ist nicht die Äußerlichkeit, an der man sie erkennt. Sie kaufen die Kleider im gleichen Laden wie wir, sie fahren die gleichen Autos – aber man erkennt sie. Vielleicht sind sie etwas breiter als wir. Sie sitzen etwas mehr als wir, wenn sie sitzen; sie schauen sich gegenseitig etwas mehr an, wenn sie sich anschauen; sie legen ihre Hände etwas mehr auf den Tisch, wenn sie die Hände auf den Tisch legen. Sie sind etwas mehr hier, wenn sie hier sind.

In einigen Tagen gehe ich nach New York. Ich weiß nicht recht weshalb. Ich habe mich vor Jahren entschieden, daß mir New York gefällt. Ich habe behauptet, daß ich dort auflebe, daß ich dort lebe, daß – ich weiß nicht, vielleicht ein Betrug. Ich kann die Sprache nicht gut, ich nehme eigentlich gar nicht teil am Leben in New York. Ich kenne New York gar nicht, ich stelle es mir vor und wähle es mir aus. Vielleicht ist das einzige, was mir Spaß macht, weg zu sein, weit weg zu sein.

In Bangkok erzählt mir ein Nicht-Zuhälter, eher Anreißer oder so etwas, daß ein Deutscher Jahr für Jahr hergekommen sei für mindestens sechs Wochen und jedes Mal für die ganze Zeit dasselbe Mädchen gehabt habe. Letztes Jahr sei er wiedergekommen, aber das Mädchen war nicht mehr aufzutreiben. Niemand wußte, wo es geblieben war. Der Deutsche sei am selben Tag zurückgeflogen. Ein Arbeiter vielleicht. Ein ganzes Jahr Arbeit für sechs Wochen Leben. Leben weit weg, Leben ohne Sprache, ohne Politik, ohne Information, ohne Fernsehen auch, ohne Kegelklub und Männerchor – ein kleines aber ganzes Leben in Bangkok.

Die Bauern sind in der Stadt. Einer spielt die Handorgel in der Wirtschaft. Ich kenne das Stück, das er spielt, wir kennen es alle – den Bauern aber gefällt es, es gefällt ihnen immer wieder. Es gefällt ihnen hier. Sie leben hier in der Gegend, und diese Stadt ist mehr ihre Stadt, als es unsere ist. Sie denken nicht daran, von hier wegzukommen.
Ein armer Bauer sieht nicht so aus wie ein armer Arbeiter. Ein reicher Bauer sieht nicht so aus wie ein reicher Unternehmer. Warum?

Ich lebe gern dort, wo sie Englisch sprechen – einfach so, vielleicht weil ich mich dabei als anderer fühle. Ich halte W. kaum mehr aus, wenn er von Griechenland schwärmt. Er kennt dort alle im Dorf, und alle kennen ihn und klopfen ihm auf die Schulter – ein Dorf abseits selbstverständlich. Einer geht Jahr für Jahr nach Kenia. Das einzige, worauf er sich freue, sagt er. Und einer, ein Politischer, geht nach Italien – Italien ist die Hoffnung, sagt er.
Und in der Wirtschaft in der Stadt spielt der Handorgelspieler, und er spielt für die Bauern.

F. ist ein Trinker. Er vertrinkt sein Geld. Er wird nicht wegkommen. Er hat seine Abenteuer hier und muß für sie – hier – ins Gefängnis. Er hat Tätowierungen, aber er wird nie ein Seemann werden. Was er hat, das wenige, was er hat, hat er hier – und alles, was er nicht erreichen wird, wird er hier nicht erreichen. Aber immerhin, er ist hier und nicht anderswo. Er ist hier wenig, aber er ist etwas. Auch er gehört mehr hierher als wir alle.

Der Männerchor sucht Mitglieder, der Turnverein sucht Mitglieder, die Dorfmusik sucht Mitglieder. Aber wer will hier noch teilnehmen. W. nimmt in Kreta teil, ein anderer liebt Kenia, und einer hätte ohne Italien keine Hoffnung mehr. F. nimmt überhaupt nicht teil, er lebt zwar hier, und er bleibt hier, aber er trinkt.
Die Partei sucht Mitglieder, aber wer will sich schon um Dinge kümmern, in denen er zwar wohnt, aber nicht lebt.

8

Unsere Hoffnungen sind anderswo, unsere Freude ist anderswo, unsere Sehnsucht ist ausgewandert.

Wir verdienen unser Geld noch hier. Wir schlafen noch hier und dann gehn wir und essen chinesisch.

Wenn Kultur eine Sehnsucht ist, die unbestimmte Sehnsucht nach »Mensch-Sein«, dann gibt es diese Kultur in unserer Gegend nur noch für wenige. Freizeit und Freiheit und Selbstverwirklichung wird nicht mehr hier realisiert, sondern anderswo.

Das hat – davon bin ich überzeugt – nicht damit zu tun, daß sich die Leute Reisen leisten können. Das hat damit zu tun, daß am täglichen Streß kein Mensch-Sein mehr Platz hat. Man hat von den scheußlichen Vorstädten gesprochen, in denen nur noch geschlafen wird. Ist nicht vielleicht unsere ganze Gegend zu einer solchen Schlaf-, Eß- und Arbeitsgegend geworden, oder zu einer Fernsehgegend, zu einer Schallplattenhörgegend – zu einer Gegend ohne Kultur?

Wer wohnt denn eigentlich noch hier; wer hat hier noch seine Sehnsucht? Kultur in Schlafvorstädten?

Jedenfalls ist es eigenartig, daß wir als Reiseziel jene Gegenden auswählen, wo sich die Einheimischen das Reisen nicht leisten können. Weil hier niemand mehr wohnt, gehn wir in Gegenden, wo die Leute noch wohnen. Das trifft für Griechenland genauso zu wie für New York. Denn man kann nicht *in* der Zivilisation wohnen, sondern nur *mit* der Zivilisation, und man kann nicht *mit* Kultur wohnen, sondern nur *in* Kultur. Wo wohnen wir?

Wir verdienen hier unser Geld, mit dem wir uns anderswo zu realisieren versuchen. Wir haben hier unsere Probleme und unsere Familien und unsere Bekannten und die Steuern und den Ärger und die Arbeit und den Streß – und wir flüchten in eine Gegend, deren Probleme uns nichts angehen. Wir flüchten aus dem sogenannten Alltag. Wo aber Kultur und Alltag nicht beieinander sind, da gibt es keine Kultur.

Wir finden sie auch anderswo nicht mehr. Wir flüchten, weil wir hier keine Kultur haben oder keine wollen, und wir flüchten, weil wir dort nicht eigentlich wohnen, in eine Scheinkultur. Wir haben – ich übertreibe, ich übertreibe – ich fürchte, wir haben diese Gegend längst aufgegeben.

Oder anders gesagt, wir haben diese Gegend, wer hat diese Gegend mißbraucht.

Thomas Bernhard *Der deutsche Mittagstisch*

Eine Tragödie für ein Burgtheatergastspiel in Deutschland

Herr und Frau Bernhard, ihre Töchter, ihre Söhne, ihre Enkel, ihre Urenkel und deren engste Verwandte, achtundneunzig Personen um einen kleinen, nicht ganz runden Mittagstisch. Eiche natur.

HERR BERNHARD *aufbrausend*
  Ihr müßt euch Zeit nehmen
FRAU BERNHARD
  Die Zeit nehmen
HERR BERNHARD
  Zum essen
  Denkt an eure Mutter
  und an die Mutter der Mutter eurer Mutter
Alle außer Herr und Frau Bernhard schauen sich an
FRAU BERNHARD
  Die Revolution wird euch alle vernichten
  dann habt ihr eine solche Suppe wie diese nicht mehr
DER JÜNGSTE DER URURENKEL *schreit auf*
  Keine einzige Kartoffel mehr
DER ÄLTESTE DER URURENKEL
  Keine einzige Kartoffel mehr
  in ganz Deutschland
FRAU BERNHARD *heiser*
  Weil die Krebsfürsorge alles aufgefressen hat
HERR BERNHARD
  Und die Nato
  AWACS
FRAU BERNHARD
  Daß ihr mir nicht laut sagt
  was wir gesagt haben
fragt: Ist die Suppe nicht gut
Alle nicken
DER ZWEITÄLTESTE URENKEL *(nicht Ururenkel!)*
  Der neue Bundespräsident ist ein Nazi
DER DRITTÄLTESTE URURENKEL *(nicht Urenkel!)*
  Und der alte Bundespräsident war auch ein Nazi

DER ÄLTESTE ENKEL
    Die Deutschen sind alle Nazi
FRAU BERNHARD
    Hört auf mit der Politik
    eßt die Suppe
HERR BERNHARD *springt auf*
    Jetzt hab ich aber genug
    In jeder Suppe findet ihr die Nazis
schlägt mit den Händen in den noch vollen Suppenteller und schreit
    Nazisuppe
    Nazisuppe
    Nazisuppe
FRAU BERNHARD *ist aufgesprungen und schreit und zeigt
mit dem Zeigefinger auf die Hose des Herrn Bernhard*
    Da seht
    er hat seine Nazihose an
    die Nazihose hat er an
DER ÄLTESTE URENKEL *schreiend*
    Die Nazihose
    die deutsche Vaternazihose
FRAU BERNHARD *sinkt in ihren Stuhl zurück und schlägt die
Hände vors Gesicht*
    Wie ich mich schäme
    Mein Gott
    Mein Gott grüßgott wie ich mich schäme
    Wie Scheel
    wie Scheel
    wie Scheel
DIE JÜNGSTE URENKELIN *laut*
    Und wie Carstens
    und wie Carstens
FRAU BERNHARD
    Muß das sein
HERR BERNHARD
    Es ist immer das gleiche
    kaum sitzen wir bei Tisch
    an der Eiche
    findet einer einen Nazi in der Suppe
    und statt der guten alten Nudelsuppe
    bekommen wir jeden Tag die Nazisuppe auf den Tisch
    lauter Nazis statt Nudeln

FRAU BERNHARD
　　Mein lieber Mann
　　hör mich an
　　wir bekommen in ganz Deutschland keine Nudeln mehr
　　nur noch Nazis
　　ganz gleich wo wir Nudeln einkaufen
　　es sind immer nur Nazis
　　ganz gleich was für eine Nudelpackung wir aufmachen
　　es quellen immer nur noch Nazis heraus
　　und wenn wir das Ganze aufkochen
　　quillt es fürchterlich auf
　　Ich kann nichts dafür
Alle werfen ihre Suppenlöffel hin
DER JÜNGSTE URENKEL
　　Laßt doch die Mutter in Ruhe
FRAU BERNHARD　*mit dem Gesicht in der deutschen Mutter-
schürze, kleinlaut*
　　Schließlich habt ihr ja alle
　　den Nationalsozialismus mit dem Löffel gegessen
*Alle stürzen sich auf die Frau Bernhard und erwürgen sie. Der
älteste Urenkel schreit in die Stille hinein*
　　Mutter

ENDE

Während heute im Weltmaßstab mehr denn je gehungert wird, werden Enzyme
längst künstlich produziert, und alles schmeckt so, als ob kein Molekül unserer
Lebensmittel jemals etwas anderes als Laboratorium, Fabrik und Supermarkt
gesehen hätte. Das noch nicht durch die reelle Subsumtion unters Kapital Vorge-
kaute erweckt bei seinem Anblick hygienische Bedenken, während des Essens in
der Regel Ekel. Aus der Reaktion des Genossen F. auf die im Elsaß servierten
Wachteln läßt sich mehr über die Dialektik der Bedürfnisstruktur im späten Ka-
pitalismus lernen als aus allen linkssensiblen Veröffentlichungen hierüber zusammen: Er würgte, monierte den zu kräftigen Eigengeschmack, und aus seinem
Blick sprach die Sehnsucht nach einer Currywurst.
MIKE SCHWARZ

Volker von Törne
Fünf Stilübungen für fünf Fünfzigjährige

Hans Magnus Enzensberger, Reinhard
Lettau, Günter Kunert, Heiner Müller,
Peter Rühmkorf

Terzine

hme

Mit uns zu teilen der Ebenen Mühn
Stieg er, ein großer Redner vor dem Volke
Zu uns herab von den allgäuer Kühn

Und süßen Schaum schlug er aus jeder Molke
In jeden Fettnapf hat er sich gesetzt
Und saß am End doch weich auf einer Wolke

Ein Luftikus, von jedem Wind gehetzt
Sahn wir auf einem Steckenpferd ihn reiten
Über den Bodensee und dann zuletzt

Als Denkmal ernst im Mittagslichte schreiten
Den weißen Schlapphut tief in dem Gesicht
Nah dem Olymp, in südlicheren Breiten

Wo man dem Dichter noch den Lorbeer flicht

Ritornell

RL

Wer sah den Bruch beim Häuserbaun
Und hat, als andre sich verkrochen
Noch auf den Wohlstandsputz gehaun?

Als Dummheit uns mit Knüppeln schlug
Wer trug das Herz vorn auf der Zunge
Und nannte den Betrug Betrug?

Wer hielt beim langen Marsche Schritt
Und zeigte uns den braunen Plunder
In Gottes eignem Land? Auftritt

Herr Lettau, der die Zähne wetzt
Die Morgenzeitung zu zerreißen
Bevor er sich zu Tische setzt

Stanze

GK

Was uns bewegt: ein kalter Wind, ein Regen
Ein fernes Lied, ein Licht, ein Bogenstrich
Bevor wir uns in unsre Gräber legen
Den Mund voll Sand und unabänderlich
Ist unser Schweigen – komm, laß uns reden
Von unsrer Liebe, der die Kälte wich
So ist der Dichter groß als Kind im Manne
Ich widme diese Stanze – wem? Marianne

Blankvers

HM

Unter den Schülern des Meisters war aber
Einer, jede Antwort befragend, zu finden
Die einzige nicht mehr fragliche Antwort
Was ist der Mensch, unbekannt und begraben
Im Kot der Geschichte, aber lebendig
Hinter den Masken sein Wort: Gewaltig spräche
Der Dichter, lieh ihm die Bühne ihr Echo
Für seinen körnigen Tiefsinn aus Sachsen

Ode, sapphisch

PR

(frei nach Herrn von Platen)

Stets am Wort klebt unsere Seele, aber
Politik bewegt diese Welt, und deshalb
Flötet oftmals tauben Ohren der hohe
Lyrische Dichter

Laß die Zunge im Mund: sie nageln sie dir
Fest auf dem Tisch; Schweigen macht sich bezahlt in
Klingender Münze: so gilt unter Deutschen
Das klingende Wort

Hier unter dem wechselnden Monde, du weißt
Singen in ihren papierenen Särgen
Noch immer die Dichter, jahrhundertelang
Von keinem gehört

Ach! einzig die Schwerkraft hält uns am sauer
Erkämpften Saum der Gemütlichkeit: falte
O nördlicher Ikarus, überm Gesäß
Kunstvoll die Flügel

Herbert Marcuse   *Die Permanenz der Kunst*

Die revolutionäre Theorie begreift das Bestehende als radikal zu
verändernde gesellschaftliche Wirklichkeit. Jedenfalls kann der
Sozialismus eine *bessere* Gesellschaft sein, in der die Menschen
mehr Freiheit, aber auch mehr Glück erleben können. In dem
Grade nun, in dem die verwalteten Menschen ihre eigene Unterdrückung reproduzieren und dem Bruch mit der gegebenen Realität ausweichen (aus sehr rationalen Gründen!), in dem Grade

nimmt die revolutionäre Theorie einen abstrakten Charakter an, und ihr Ziel – der Sozialismus als bessere Gesellschaft, transzendiert auch die der Revolution verpflichtete Praxis.

In dieser Situation wird die Affinität (und Gegensätzlichkeit!) zwischen Kunst und revolutionärer Theorie und Praxis in überraschender Weise deutlich. In beiden ist eine Welt visiert, die, aus den gegebenen gesellschaftlichen Verhältnissen hervorgehend, die Menschen von diesen Verhältnissen, dieser Wirklichkeit befreit, sie zu Menschen macht. Die Vision bleibt der Praxis zukünftig. Die Theorie von der Fortsetzung des Klassenkampfes in der sozialistischen Gesellschaft drückt diesen Sachverhalt aus – in repressiver Form. Die permanente Veränderung der Gesellschaft unter dem Prinzip Freiheit ist notwendig nicht nur wegen der fortbestehenden Klasseninteressen. Die Institutionen der sozialistischen Gesellschaft beseitigen selbst in ihrer demokratischsten Form nicht den Konflikt zwischen dem Allgemeinen und Besonderen, zwischen dem Glück der Individuen und der Gesamtheit, zwischen Mensch und Natur; sie befreien nicht Eros von der Herrschaft des Todes. Das ist die Grenze, die die Revolution weitertreibt über den je erreichten Stand der Freiheit hinaus: ein Kampf gegen das Unmögliche, dessen Bereich vielleicht doch allmählich reduziert werden kann.

Die Kunst reflektiert diese Dynamik in ihrer Insistenz auf der Wahrheit einer von ihr geschaffenen Welt, die *nicht* die der gesellschaftlichen Wirklichkeit ist und doch diese zum Boden hat. Es ist eine *andere* Wirklichkeit und Wahrheit, die nicht die der Reportage, der Photographie, der »Medien«, der soziologischen Analyse ist. Sie bricht die von diesen nicht faßbare Dimension auf, in der die Menschen (und Dinge) nicht mehr unter dem Gesetz des bestehenden Realitätsprinzips stehen. Sie erleben in der Kunst die »Illusion« der Autonomie, die ihnen die Gesellschaft versagt. Doch die Illusion erscheint als wirkliche Möglichkeit in dem Maße, in dem die gesellschaftliche Wirklichkeit in die Scheinwelt des Kunstwerks eingeht – wenn auch nur in der Weise, daß die verfremdende Sprache des Werks hören und sehen läßt, was die der gegebenen Realität nicht mehr aussprechen kann – oder *noch nicht,* oder nie.

Die Autonomie der Kunst reflektiert die Unfreiheit der Individuen in der unfreien Gesellschaft. Wären die Menschen frei, dann wäre die Kunst Ausdruck und Form ihrer Freiheit. Die Kunst bleibt der wirklichen Unfreiheit verhaftet, in ihr hat sie ihre Autonomie: der Nomos, dem sie gehorcht, ist nicht der des bestehenden Realitätsprinzips sondern seiner Verwandlungen – bis zu seiner Negation. Aber die bloße Negation wäre abstrakt, die schlechte Utopie. Die Utopie, die in der großen Kunst zur Erscheinung kommt, ist niemals die bloße Negation des Realitätsprinzips, sondern seine Aufhebung, in der noch sein Schatten auf das Glück fällt. Die echte Utopie hat ihren Boden in der Erinnerung. »Alle Verdinglichung ist ein Vergessen.« (Horkheimer/Adorno, Dialektik, p. 274) Die Kunst kämpft gegen die Verdinglichung, indem sie die versteinerten Menschen und Dinge zum Sprechen bringt – zum Singen, vielleicht auch zum Tanzen. Das Vergessen vergangenen Leids und vergangenen Glücks erleichtert das Leben *unter* dem repressiven Realitätsprinzip; die Erinnerung will das Vergehen des Leids und die Ewigkeit der Lust – *gegen* das Realitätsprinzip. Ihr Wille ist ohnmächtig: das Glück selbst ist an Leid gebunden. Aber wenn die Erinnerung im Kampf für die Veränderung aufbewahrt ist, wird auch um eine noch immer in den Revolutionen unterdrückte Revolution gekämpft.

Diese permanente Revolution will nicht die immer verbesserte Produktivität, die immer stärkere Anstrengung, die immer effektivere Ausbeutung der Natur. Diese Revolution will die Stillstellung des Willens zur Macht, die Befriedung im Genuß des Daseienden, die Abschaffung der menschenunwürdigen Arbeit, die Schönheit als Lebenswelt. (Ist diese Stillstellung vielleicht die Versöhnung von Eros und Thanatos, in der das gelebte Leben noch den Tod in sich hineinnimmt – Selbstbestimmung des Endes?) Und in dem Grade, in dem diese Dimension der Befreiung in den Kampf für die Revolution eingeht: als Feld eines neuen Bewußtseins und als Horizont eines technischen Fortschritts, der für die Herstellung der Bedingungen der Befriedung organisiert ist, in dem Grade wären die utopischen Aspekte der Veränderung der Welt geschichtliche Möglichkeiten geworden: Chance des qualitativen Sprungs in das Reich der Freiheit.

Lieber Marcuse, eine Grille Dir ins Ohr. Wenn Theorie wirken kann, die Kunst aber nicht: was stellt man dann an mit der Theorie, wenn man sie, wie Du und ich, immer so ein bißchen literarisiert? Na? Zirpt sie schon?
CHRISTIAN ENZENSBERGER

Peter Weiss   *Géricaults Auflehnung*

Die beiden Bogenfenster und das höher gelegne viereckige Mittel-
fenster im Stockwerk darüber, dort hatte Géricault, vom November Achtzehnhundert Siebzehn bis zum Herbst Achtzehn, sein
Bild skizziert, zur Ausführung des großen Gemäldes war er in
eine Werkstatt an der Rue Louis le Grand, in der Faubourg Roule,
übersiedelt, dann, nach der Ausstellung und seinem zweijährigen
Aufenthalt in England, wieder zurückgekehrt in das Gartenhaus,
wo er am sechsundzwanzigsten Januar Achtzehnhundert Vierund-
zwanzig an den Folgen seiner Reitunfälle starb. Damals lag die
Straße in einem ländlichen Außenbezirk der Stadt, an Gärten
und vereinzelten Villen, am Viehmarkt und an Gehöften vorbei
führte sie zu den Ruinen des Benediktinerklosters, den Mühlen,
Weinfeldern und Kalksteinbrüchen auf dem Mont des Martyrs.
Erst ein paar Jahrzehnte später breitete die Stadt sich über die
Anhöhe aus, zwischen den Häusern an den geringelten Gassen
und steilen Treppen aber standen, bis in den Anfang der Zwan-
zigerjahre unsres Jahrhunderts, Lauben und Bretterhütten, über-
einandergedrängt an den strauchigen Hängen, dem Maquis, der
Freistatt der Ärmsten. In der Nähe der Place Blanche hatte Géricaults Pferd vor einer Schranke gescheut und ihn abgeworfen.
Der Abszeß, den er sich durch die Verwundung zuzog, brach einige
Tage später auf, als er, trotz der Erkrankung, am Derby auf dem
Champs des Mars teilnahm und aufs neue stürzte. Die Infektion
griff das Rückgrat an, die Wirbelknochen begannen, sich zu zer-
setzen, er verweste bei lebendigem Leib. Da lag er flach ausgestreckt auf dem teilweise verhängten Bett in dem Raum mit der
gewölbten Decke, umringt von seinen Bildern und Zeichnungen,
das Floß der Medusa, aus dem Rahmen genommen, füllte die
Längswand, niemand hatte das Werk kaufen wollen, ein Händler nur hatte ihm vorgeschlagen, die Leinwand zu zerschneiden
und die Teile als freistehende Studien zu veräußern. Als Dela-
croix ihn Ende Dezember Dreiundzwanzig besuchte, wog Géricault nicht mehr als ein Kind, der Kopf des Zweiunddreißigjäh-
rigen aber war der eines Greises. Er hatte diesen Tod gesucht,
als habe er sich bestrafen wollen, der Trieb, sich selbst zu vernichten, wurde auch in den Äußerungen über seine Arbeit deutlich, bah, eine Vignette, antwortete er auf ein Lob, sein skelett-

haftes Gesicht den Schiffbrüchigen zuwendend. Und doch plante er bis in die letzten Stunden große Kompositionen, welche die Schrecken der Sklaverei, die Befreiung der Opfer der Inquisition behandelten, war ihn auch nichts andres mehr gewiß als das Ertragen von Schmerzen, sah er auch nur im Leiden noch Realität, so hatte er das Sterben doch immer wieder durch das Erdenken von Bildern überwunden und seinem Siechtum äußerste Glut abgewonnen. Wieder unter der schwärzlichen Masse seines Werks stehend, Donnerstag, den zweiundzwanzigsten September, bemerkte ich, wie sich die Gesichtszüge und Gesten der zu einem Ganzen verschmolznen Gruppe aus der Umdunklung herausschälten. Der Beschauer, so hatte es der Maler gewollt, sollte, wenn auch keiner der Gescheiterten ihm einen Blick zuwandte, sich in unmittelbarer Nähe des Floßes wähnen, es sollte ihm scheinen, als hinge er, mit verkrampftem Griff, an einem der vorspringenden Bretter, zu matt schon, um die Rettung noch erleben zu können. Was sich anbahnte hoch über ihm, betraf ihn nicht mehr. Ihr, die ihr vor diesem Bild steht, so sagte der Maler, seid die Verlornen, denen, die ihr verlassen habt, gehört die Hoffnung. Der Arm des Toten links hatte sich ursprünglich bis zum Fuß des verendeten Jünglings an der vordern Kante ausgestreckt, Spuren des übermalten Unterarms und der Hand waren noch zu erkennen. Unterhalb der Rippen war der Leib wie abgerissen, entweder war er eingeklemmt zwischen den Bohlen, abgeknickt in der Vertiefung, oder zur Hälfte verzehrt worden. Vier Leichen lagen vorn in einer Reihe, dahinter hockten drei Gestalten abgewandt von den übrigen, einer am Mast, das Gesicht in den Händen vergraben, es folgten vier halb aufgerichtete Körper, quer ein Zurückgefallner darüber, dann vier Stehende, dicht zusammengedrängt, und schließlich die drei, von denen zwei den am höchsten Aufgerichteten stützten. Auf der Haut aller lag ein grünlich gelber Schimmer. Als ich mit Ayschmann, in Valencia, die Reproduktion des Bilds betrachtet hatte, war vieles von dem, was sich jetzt zeigte, schon zu ahnen gewesen, doch erst bei der Konfrontation mit dem Werk, da ich zum Augenzeugen wurde und das Geschehnis in seiner Ursprünglichkeit aufnahm, ließ sich verstehn, welche Handlung das Malen war. Ich begann zu begreifen, wie sich die Anordnung der Formen beim Auswägen innerhalb einer Steigerung ergab, und wie die Einheitlichkeit sich zusammenfügte aus Kontrasten. Dunkles stieß, genau gezeichnet, an Helles, immer leitete die beleuchtete Kontur eines Profils, eines Rückens, einer

Wade über zu beschattetem Stoff, Holz oder Fleisch, oder der schwarze Schnitt eines Kopfs, einer Hand, einer Hüfte hob sich ab von schimmerndem Tuch, Himmel, Wasser. Das Gebändigte, Beherrschte in dieser Verflechtung vermittelte die Empfindung von Ausdauer, diese Eigenschaft wurde dadurch verstärkt, daß die Beharrlichkeit gleichzeitig wie von einer schweren Trauer umfangen wurde. Diese beständigste aller Emotionen, weil verbunden mit dem Unwiederbringlichen, kam vorn in einer ganzen Figur zum Ausdruck, und lag hier und da mit ihrem Abglanz auf einer Stirn, einer Schläfe, einem zurückgeneigten Jochbein. Und jetzt veränderte sich auch wieder der Ausdruck, der sich mit so viel Energie der Möglichkeit des Überlebens zugewandt hatte, von Bangigkeit war die Erwartung der Rettung geprägt, ein Warten herrschte vor, wie in der Situation, da die Beklemmung eines Traums durchbrochen und das Erwachen hervorgerufen werden soll. Diejenigen, die das Kommende zu sehn meinten, waren vom Beschauer abgewandt, die wenigen erkennbaren Gesichter trugen die Starre des nach innen gerichteten Blicks. Der einzige, der sich ganz dem Außen stellte, der vor sich offnen Raum hatte, war der Dunkelhäutige, der Afrikaner, hier vibrierte auch der Umriß, die Linien der Schulter, der von hinten gesehnen Wange, des Haars standen im Begriff, in das Gewölk einzufließen, an ihrem äußersten, höchsten Punkt begann die Auflösung, die Verflüchtigung der Gruppe. Soweit ich erkennen konnte, war sonst nirgends dieses leicht Verwischte, dieses Zittern der Kontur zu finden, das Verschwimmende mußte bewußt angelegt worden sein, als kaum merkliches Zeichen für ein Überschreiten der Grenze des Wahrnehmbaren. Hier, wo das Transzendieren einsetzte, war das Körperliche gleichzeitig am stärksten skulptiert, der schwarze Kolonialsoldat Charles war der kräftigste der Schiffbrüchigen, er aber gehörte, laut Bericht, zu denen, die bald nach der Rettung durch die Argus in Saint Louis sterben würden, die Unteroffiziere Lozack und Clairet, der Kanonier Courtade, der Oberfeuerwerker Lavilette, und ein unbekannter Matrose aus Toulon. Géricault hatte zwischen diesen Menschen gelebt, beim Abschluß der Vorstudien, während des heißen Sommers. Ehe er mit der Übertragung auf die Leinwand begann, war ihm oft, als befände er sich in Saint Louis, dieser kleinen Stadt auf der Insel in der Mündung des Senegal, wo die Geretteten, hohläugig, bärtig, von Bord getragen und in einen Winkel des Lazaretts gelegt wurden. Vielleicht fragte sich der Maler, ob er nicht erst hier, bei der Fortsetzung der Qualen auf dem Land ansetzen solle. Die Seereise in der Vereinsamung war beendet, nun befanden sie sich wieder zwischen Seßhaften, in einer Kontinuität. Die Engländer, in deren Händen die Garnison noch war, ließen ihnen keinerlei Hilfe zukommen. Nachdem die Schwächsten gestorben waren, bereiteten sich die neun Überlebenden, der Geograph Corréard und der Wundarzt Savigny, der Hauptmann Dupont und der Leutnant Heureux, der Beamte Bellay und der Fähnrich Coudin, Coste, der Matrose, Thomas, der Lotse, und der Krankenwärter François auf eine lange Gefangenschaft vor. Géricault lag zwischen ihnen, kroch auf dem schmutzigen Boden, versuchte ein paar taumelnde Schritte, wagte sich dann, zusammen mit den wenigen, die noch fähig waren, zu gehn, hinaus auf die Straßen, um Almosen bettelnd. Die Fadenscheinigkeit der Verträge hatte sich schon erwiesen. Die englischen Beamten und Offiziere sahn keinen Grund, die Ortschaft zu räumen, da die angesagten französischen Besatzungstruppen ausblieben. Wochen später erst traf der erbärmliche Haufen der im Norden an Land gestiegnen Kolonisatoren ein, unbewaffnet und fast ohne Kleider. Während Géricault sich das Dasein in Saint Louis vorstellte, zeichnete sich wieder das große Thema der Verworrenheit einer Epoche in dem gedachten Bild ab. Die weiße Rasse, gierig, bis aufs Blut in sich zerstritten, kam angekrochen über die afrikanischen Gestade, hier und dort hatten Eroberer sich eingenistet, die Versprengten, nach dem Schiffbruch, schleppten ihre ausgemergelten Leiber durch den Sand, ihre Verseuchtheit hineintragend in die von den Jahrhunderten des Sklavenhandels erschütterte schwarze Kultur. Die Soldaten, Matrosen und Passagiere, angeführt vom Gouverneur und Fregattenkapitän, die nach der Strandung der Medusa das Floß preisgegeben hatten, waren durch die Wüste ins Land des Königs Zaide gezogen. Was der Maler über die Ankunft der Karawane am Zelthof des Regenten in Erfahrung brachte, riß den Blick zu einer neuen Weite auf. Nach den Entbehrungen des Marschs waren die Franzosen auf die Gastfreundschaft der maurischen Stämme angewiesen. Sie entsannen sich Napoleons. Auch für Géricault war der Gedanke, daß der gestürzte Kaiser noch lebte, auf der fernen britischen Insel, fast eine Überraschung. Mit der Nennung seines Namens wollten die armseligen Eroberer ihrer Herkunft Glanz verleihn. Demütig kniend vorm Teppich des Königs, von Lanzenträgern und Kameltreibern umringt, zeichneten sie in den Sand die Konturen Europas und des nördlichen Afrikas, sodann ihren

Fahrtweg über die Meere. Verwundert stellte der mohammeda-
nische König die Identität des Generals Bonaparte, dessen Ar-
meen er bei einer Wallfahrt nach Mekka gesehn hatte, mit dem
Weltherrscher Napoleon fest. Ein langer dünner Strich zog sich
von der Insel Elba, an den Säulen des Herakles vorbei, über den
Äquator hinweg, zu einem Punkt im südlichen Atlantik, wo der
große Neuordner unerreichbar, entmachtet, verbittert, dahinsiech-
te. Brot und Getränke erhielten die Fremden, als Dank für ihren
sagenhaften Bericht. So gelangten sie nach Saint Louis, dieser
Stadt, die nichts Merkwürdiges aufzuweisen hatte. Zweieinhalb
Kilometer lang, zweihundert Meter breit, kaum einen Meter hoch
war die Insel. Gradegezogen die Straßen, einförmig die Häuser,
mit dürftigen Gartenanlagen, hinter einer Palmengruppe das Fort
mit Mörsern und Arsenal, ein paar Lehmhütten auf der Land-
zunge am Auslauf des Flusses, Spitze der Barbarei genannt. Höflich teilten die Engländer den Ankömmlingen mit, sie hätten noch
keinen Befehl zum Abzug der Garnison von ihrer Regierung erhalten. Herr de Chaumareys, sich herrichtend mit Dreispitz und
ein paar geretteten Tressen, stattete den Kranken und halb Ver-
hungerten im Lazarett einen Besuch ab, versprach ihnen beßre
Unterkunft, Pflege und Nahrung, wenn nur erst die Kasse der
Medusa, mit hunderttausend Francs, geholt worden wäre. Er
einigte sich mit den Sachwaltern Britanniens auf eine Teilung der
an Bord zurückgelaßnen Güter, Schiffe stachen in See, vor ihnen
aber hatten Plünderer schon das Wrack aufgesucht und den Geld-
schrein an sich genommen. Was noch vorhanden war, wurde in
der Stadt verkauft. Ein paar Tage lang verwandelte sich die öde
Ortschaft zur Stätte eines Fiebertraums. Da wurden Mehltonnen
durch den aufwirbelnden Staub gerollt, Spunde wurden aus den
Weinfässern geschlagen, die Getränke ergossen sich in die auf-
gerißnen Münder der auf dem Boden Liegenden. Géricault und
seine Gefährten, ausgezehrt, voller Wunden, barfüßig im Getrie-
be umherstreichend, erhielten Seekarten, Decken, Hängematten
zugeworfen. Nautische Instrumente wurden auseinandergenom-
men und von den Frauen als Putz ins Haar gesteckt. Kinder
schleppten sich ab mit Felleisen und Koffern, gruben in Papieren
und Büchern. Ornamente von Schrankbeschlägen wurden an den
Hüttentüren befestigt. Segeltücher, Bettlaken wurden zerschnitten, Takelwerk schlängelte sich die Wege entlang. In die Rolle
ihrer Herrn versetzten sich die Afrikaner, statteten sich aus mit
Westen, Pantalons, Gilets, Degen und großen grauen Überrök-

ken. Um Uhrketten, Stulpenstiefel rauften sie sich, hängten sich Epauletten, Ordensbänder über die verschwitzte Haut. Einige waren in dem wilden Aufzug zu sehn, die mit silberbeschlagnen Büchsen in die Luft feuerten oder durchs Fernrohr Ausschau hielten hinüber ins Affendickicht. Händler wollten dem Gouverneur nicht die Fahne geben, die stolze Trikolore, heulend warf er sich in den Sand, während das Tuch zerrissen wurde und mit seinem Blau, seinem Rot bald die Hüften der Tanzenden schmückte. Von geschwungnen Degen, Rudern, Bootshaken wurden die Franzosen vertrieben. Nach Dakar traten sie ihren schmählichen Abzug an. Bis Ende November des Jahrs blieben die Überlebenden der Floßfahrt, angewiesen auf Handreichungen von Mitleidigen, in der Verbannung zurück, ehe man sich in Frankreich ihrer erinnerte und die Loire ausschickte nach ihnen. Es gehörte zu dieser von Phantasmagorien überladnen Zeit, daß Ende August Géricaults Sohn geboren wurde, dem er den Namen Hippolyte gab. Die Registrierung des Kinds, als von unbekannten Eltern stammend, die Abschiebung der Mutter aufs Land, die Übergabe des Säuglings an Pflegeeltern, die Anstrengungen der Familie, den Skandal vor der Außenwelt zu verbergen, dies alles trug dazu bei, daß er sich immer mehr in sein Versagen, seine Lebensunfähigkeit zurückzog ...

Auf dem Montmartre, während seines letzten Jahrs, hatte er die Werkstatt mit dem Gipsofen gemalt. Das zerfallne Gebäude, hoch über der Ebene von Saint Ouen, war ans Ende der Welt gerückt worden, die Wolken verbanden sich mit dem Rauch, der aus dem Schuppen auf der Bergkuppe hervorquoll. Der zwischen Säcken schlafende Knecht in dem überdimensionierten, halb aus der Toröffnung herausgefahrnen Karren glich, mit seinem härenen Gewand und weitem Schlapphut, dem Tod, die abgeschirrten Pferde standen unbewacht in der Gewitterschwüle, am lehmigen, von Rädern zerpflügten Weg. Sein Leben hatte er durch das Malen nicht verändern können, auch was sich von seinem Werk überblicken ließ, wies keinen Entwicklungsgang, keine entscheidenden Stilwandlungen auf, die zehn Jahre seiner Arbeit waren von Anfang an vom gleichen Zustand des Gefangenseins gekennzeichnet, und von der gleichen Intensität, mit der er nach Erlösung suchte. Eine Hilfe, eine Rettung gab es für ihn nicht, die unerhörten Energien, die in ihm aufgespeichert waren, konnten sich nur in den entstehenden Bildern zeitweilige Erleichtrung verschaffen, während seines kurzen Hierseins war ihm das Malen das Instrument, mit dem er dem innern Überdruck begegnete, der Wahnsinn hing ständig über ihm, als eine Auflehnung gegen die Erstarrung. Er, der eingreifen wollte in das System der Unterdrückung und Destruktivität, sah sich zugrundegehn als Geschlagner. Und doch war es mir noch nie so deutlich geworden, wie in der Kunst Werte geschaffen werden konnten, die ein Versperrtsein, eine Verlorenheit überwanden, wie mit der Gestaltung von Visionen versucht wurde, der Melancholie Abhilfe zu leisten. Vielleicht verstand er nicht, welche Kräfte es waren, die ihn niederhielten, vielleicht war seine Gebrochenheit so groß, daß er sich den Schlüssel zur Deutung der freigelegten Zeichen versagte, im Handwerklichen aber ging er bewußt genug vor, um zu erkennen, daß er mit seiner malerischen Sprache andern den Weg bereitete. Wie er selbst Linien weitergeführt hatte, die von Michelangelo, Tintoretto, Caravaggio ausgegangen waren, so wiesen Daumier, Courbet, Degas, in seiner Art auch van Gogh, mit dem Strich ihrer Pinsel auf Géricault hin. Plötzlich interessierte es mich nicht mehr, die Rätsel seines Lebens zu lösen. Alles, was ich wissen wollte, war mir bekannt. Mit seinem Geben und Nehmen stand er in den universellen Beziehungen und Verbindungen, die den Grund der künstlerischen Tätigkeit ausmachten.

Es gibt ein historisches Beispiel, das erhärtet, wie wenig die Schmidt-Regierung berechtigt war, Schleyer seinen Totmachern zu überlassen: Sie wissen, daß Calvin in Genf 1553 den spanischen Arzt Servet erst rösten und dann auf dem Scheiterhaufen verbrennen ließ. Und von diesem Entdecker des Lungenkreislaufs und Kritikers der Dreieinigkeitslehre stammt das großartige Urwort der Humanität: »Einen Menschen töten, heißt nicht: eine Lehre verteidigen, sondern heißt: einen Menschen töten und weiter nichts.« Schleyer wurde getötet, um eine Lehre zu verteidigen. Getötet haben ihn Terroristen, aber den Terroristen zum Töten überlassen hat ihn eine Regierung, die *dazu* nicht gewählt worden war, sie hatte gar kein Recht dazu. Sie hat einer Lehre, eines Prinzips wegen – des Prinzips der Staatsautorität, was nur ein dummer Popanz ist – diesen Mann seinen Killern überlassen. Das sollte ein Nachspiel haben . . .

ROLF HOCHHUTH

24

Ernst Meister   *Drei Gedichte*

Der Erkennende
ist der Gräber,
die Erkenntnis das

Grab. Der
Gipfel der Ohnmacht
ist unten.

Aber wir sind doch
Kinder der Erde –
wissen wirs nicht?

Zugehörig dem Ursprung,
dürften uns
dessen Bestimmungen

fremd nicht sein.
Doch entsetzlich
aufgespalten scheint

der Anfang der Anfänge selbst.

Wie sehr wir
Gemischte sind!
Du siehst es

auf Märkten,
dabei
totes Tiergesicht.

Du bist
außer dir niemand
und alle doch.

Günter Kunert
Geschichten vom Aufhören der Geschichte

Aufhören der Geschichte I

Sobald die schrumpfenden Restbestände menschlicher Vergangenheit nicht länger zu erhalten sind, die generelle Zerstörung von Domen, Tempeln, Säulen, Karyatyden, Türklinken, Fensterkreuzen, Hufnägeln, Schnürsenkeln durch Versäuerung der Luft, durch Verätzung des Regens, fressenden Schwefel unseres Atems unaufhaltsam wird, verbleiben eines Tages nur noch Bücher in besonders gesicherten Räumen: die Bestände fragwürdiger Historiographie, deren Geltung noch eine Weile vorhalten mag, aber im Verlauf einer Generation werden alle diese Folianten durch ihr abstraktes Wesen apokryph. Ohne Bestätigung ihres Inhalts durch gegenständlichen Beleg verlieren sie unmerklich aber sicher die Glaubwürdigkeit und verwandeln sich für den Leser, der nichts nachprüfen kann, zu Sagen und Märchen, ausgedacht von Leuten, denen die ewige Dauer der Gegenwart zu langweilig wurde, und die solchermaßen der Menschheit etwas zur allgemeinen Unterhaltung andichteten: eben eine Geschichte, die nichts weiter ist als sie selber.

Aufhören der Geschichte II

Vermutlich von Eingeborenen Deutschlands geflochten, der Korbsessel, in dem ich residiere, aber wann und aus welcher Gegend: keine Ahnung. Selbst meine Katze hat sich von irgendwoher eingefunden, vielleicht sogar aus Ägypten, so daß ich weder ihren Werdegang noch ihren Namen kenne. Fichten, Kiefern und der expansive Ahorn waren schon vor meinem Erscheinen da, auch das Haus, wo ich schlafe und esse und esse und schlafe, Tag für Tag, Nacht für Nacht; von den Wolken und Würmern ganz zu schweigen, weil sie von ewigem Bestand scheinen. Verschiedene Familienmitglieder habe ich nie getroffen, Stalin nicht und nicht seinen Enkel Marx, noch ihrer beider Vater, ich meine Ludwig den Vierzehnten. Durch die immer aufs Neue mißlingenden Be-

ziehungen der letzten Jahrhunderte untereinander, durch das Ab-
schlagen von Köpfen und Armen, Fesseln der Hände, Festnageln
der Füße auf nationalen Ebenen und dem wiederholten zwangs-
weisen Entzug des jeweiligen Bewußtseins, wurden die tragfähi-
geren Bindungen zerstört. Hier und dort ragen Pfeiler, an ehe-
malige, vielleicht nur projektierte Brücken erinnernd, aus dem
versandenden Fluß der Zeit. In der Zeitung steht, wie glücklich
wir sind, freilich in einer Sprache, deren Abkunft vom Mollus-
kischen erschrockene Philologen ableugnen. Die paar Menschen
unter uns reden daher durch die Blume, der besseren Verständi-
gung wegen, und so erblühen aus unsren Mündern Worte, die
zwar rasch verwelken, doch wenigstens ungiftig sind. Aber auf
solche Weise wird unsere Authentizität immer fraglicher, so daß
wir in Bälde nicht mehr mit uns rechnen können, und wer es dann
immer noch tut, gibt sich dadurch als einer zu erkennen, der noch
nicht gemerkt hat, was sich im Allgemeinen Besonderes mit ihm
und uns ereignet hat.

Erinnerung an Deutschland

Daß immer wieder Schatten darüber fällt, täglich, und die Stimme
einer alten Frau im Rundfunk kichernd verkündet, sie habe dem
Kaiser noch die Hand gegeben, das hört sich an und klingt wie
eine Nachricht aus dem Imperium Romanum. Was für ein Volk,
das deutsche, von dem wir weniger wissen als von den Pelasgern.
An Sonntagen und aus Zufall suche ich manchmal einen von ihnen
vor der Stadt auf; stets trifft man sie bei der Arbeit, Hämmern
und Sägen, Mörteln und Nageln, freundlich und staubig, häufig
eindeutig wächsern und vorübergehend vom Dienst in der ethno-
logischen Ausstellung befreit, aber warum sie Stein auf Stein fü-
gen, dahingehend fehlt jede Erkenntnis. Wie andere Völker für
Jagd oder Viehzucht berühmt gewesen, so sie für die Maurerei.
Als bereite ihnen die ungehinderte Natürlichkeit einer Landschaft wahren Schmerz, ziehen sie ihr zumindest eine Mauer ein,
ohne Hoffnung auf innere Heilung, gleichsam trostlos und um
einen lang geübten, sinnlos gewordenen Brauch nicht zu verletzen.
Ohne die falschen Symbole ihrer Öffentlichkeit sind sie sich selber völlig unbekannte, eigentümliche Leute, im Schatten der Geschichte daheim, den sie nur gezwungenermaßen verlassen, zu ver-

geblichen und blutdürstigen Exkursionen, welche man ihnen vordem nie zugetraut hat und danach immer wieder befürchtet. Die Schrift freilich haben sie nicht erfunden, trotz ihrer gegenteiligen Behauptung, das steht fest. Darum nämlich sind ihre Sätze auch so winklig und gebrochen, voller Frakturen, wie unvorsichtig ausgegrabenes versteinertes Gebein, beschädigt und durch einen unkundigen Restaurator oberflächlich zusammengefügt, an einem Sonntagvormittag vielleicht oder irgendwann sonst, wenn man, nach gutem Schlaf, zufällig beim Frühstück an Deutschland denkt.

Wenn es einen schöpferischen Irrationalismus gibt, muß es auch einen unschöpferischen geben. Und das ist die gefährliche Seite des deutschen Januskopfes. Jene bekannte, dummdreiste, lautstarke und häßliche Fratze in den wechselnden Modefarben der Geschichte. Und das sieht heute so aus. Brutal und verwundet, allergisch gegen die Symptome der eigenen Verdrängung. Voll Selbsthaß und Aggressionen wegen der von ihr weggedrängten inneren Irrationalität, töten jene Anhänger dieses deutschen Teilwesens in schuldhafter Berührungsangst das ihnen eigentlich Nahe selbstvernichtend ab, je näher sie es wittern. Es sind die Meister des heutigen Alltag-Vokabulars, jener bemühten Worte, die mit ausgestrecktem Anklage- und Giftfinger insgeheim sich zerfressend die ängstliche Selbststärkung des Strammstehens vor den wechselnden Ideologien betreiben, wenn sie immer wieder sagen in geistestötenden Ritualen der Sinnentleerung: man müßte das Bewußtsein verändern, Denkanstöße geben, etwas bewirken, aufzeigen, aufarbeiten, deutlich machen, konkret sein, politisch denken, Lernprozesse bewirken, sich von Zwängen befreien usw. Es sind die Leute, die gar nicht wissen, warum sie statt Deutschland hierzulande und oft Gesellschaft wie früher Volk oder Vaterland sagen, und die von Kultur wie von Bildungspolitik reden. Es sind dieselben Leute, die ihre Gefühle auslöschen und nicht mehr leiden können und das Trauern verlernt haben und deshalb auch keine eigene Schuld mehr kennen, weil sie ihre Taten der Gesellschaft zuschieben, und wenn die Vorwürfe ihnen zu gefährlich für ihre Existenz werden, gerne von Larmoyanz sprechen, der Mahner natürlich, bis alle Spielarten des Terrorismus zu erkennen sind, von Worten bis Bomben. Eine verzweifelte Form der Selbstverweigerung und des selbstverschuldeten Identitätsmangels mit den großen Gefahren der Zerstörung ihrer selbst und aller Nachbarn, wie schon immer. Das ist das gefährliche Deutschland, ungeliebt und immer da, früher wie heute, rätselhaft in immer neuer Maske. Die Mentalität der ›Blindäugigen und kleinsüchtigen Schufte‹ (E. Bloch über Wagner-Gegner) bekommt in unserer Zeit die Weihe der Ideologie, die sie gerne Aufklärung nennen.

HANS-JÜRGEN SYBERBERG

Reinhard Lettau *Die Fetischisierung des Neuen*

Rede zur Verleihung des Hörspiel-
preises der Kriegsblinden

Ich kann mir nicht vorstellen, daß es in der Geschichte dieses Preises, den ich schon als Schüler bewundert habe, jemals einen so er-
staunten und zugleich glücklichen Preisträger gegeben hat wie
mich. Erstens erhalte ich diesen Preis für mein erstes Hörspiel
oder, genauer, für meinen ersten Versuch eines Hörspiels. Zwei-
tens war ich bis vorhin, als ich den Preis entgegennahm, höchst-
wahrscheinlich der einzige lebende deutsche Schriftsteller, der noch
nie einen Preis erhalten hatte: ein Umstand, dessen ich mich in
Zukunft nun nicht mehr rühmen kann. Und drittens bin ich, abgesehen von mir selbst, glücklich, daß gerade diese Arbeit aus-
gezeichnet wurde, und zwar deshalb, weil es ein Votum zu sein
scheint, das gegen jede herrschende literarische Mode geht. Das
ist selten.

Bitte erlauben Sie mir den Versuch einer Erklärung. Vor fünf
Jahren war mir aufgefallen, daß lateinamerikanische Diktatoren
nach Putschen, in denen sie von jeweils neuen Diktatoren abge-
setzt werden, sich mit Vorliebe nach Miami begeben, wohl des Kli-
mas wegen. Diese Beobachtung skizzierte ich für mich folgender-
maßen: »Hotelhalle in Miami. Immer kommen neue Diktatoren
aus dem Süden an. ›Sie sind der vorvorige Diktator, nicht?‹ –
›Nein, der allerletzte!‹ – ›Sind Sie sicher?‹ – ›Ganz sicher kann ich
natürlich nicht sein, ich kann ja nicht dauernd an der Grenze
stehn!‹« Aus Neugierde, was weiter passieren würde, und allerdings auch nach dem Studium zahlreicher Quellen und Doku-
mente, hauptsächlich von Amnesty International, schrieb ich nun
weiter.

Hierbei merkte ich bald, daß ich die manchmal schrecklichen Dia-
loge meiner Figuren nicht aus der unnötig urteilenden Entfernung
des konventionellen Prosa-Erzählers steuern, daß ich dieses Material künstlerisch nicht verwalten wollte: Also es blieb direkte
Rede. Ferner hatte ich aber auch eine noch stärkere Hemmung,
die aufgeschriebenen Gespräche in eine vorher ausgedachte Rei-
henfolge zu zwingen, die eine »Handlung«, oder gar eine »echte
Handlung«, eine »dramatische Handlung« ergeben würde, also
Theater war es auch nicht, jedenfalls kein ordentliches Theater,
wo sich etwas schürzt, was sich später löst, Zusammenprall, Höhe-

punkt und so weiter, Sie kennen das aus der Schule, oder aus dem Theater von heute, also doch aus der Schule.

Nun wohne ich in der Provinz, eine halbe Stunde entfernt von der mexikanischen Grenze, in einem kleinen Ort an der Küste von Kalifornien. Von dort aus sind in den Zeitungen als deutsche Spezialitäten berichtete Phänomene wie »die Kreislaufstörung«, »das Selbstmitleid«, »die Innerlichkeit«, »die Tendenzwende« und vor allem »das Berufsverbot« (den »Euphemismus« »Radikalenerlaß« spreche ich möglichst nicht aus) nicht immer verständlich. Besonders schwer hatte ich es mit der »Tendenzwende«, weil ich jahrelang Aufsätze über dieses Ereignis überlas in der Annahme, es handle sich um Vorgänge an der deutschen Börse, was natürlich nur teilweise zutraf. Hauptsächlich war damit wohl eine ganz neue Restauration, eine beginnende, aber ganz neu aussehende Gegenaufklärung gemeint, die in unserer Geschichte immer Arm in Arm mit einer Art literarischem Biedermeier aufzutreten scheint. Auf einmal wurden Kritiker und Dramaturgen, die eben noch die Literatur auf die Straße gejagt hatten, zu Türhütern der Innerlichkeit. Neu entdeckt wurde, was Goethe das »Sich-Abarbeiten in der Selbstbeobachtung« genannt hat: öffentliche Ernte privater Luxusleiden, bedeutendes Flüstern, traurige Gebärden, auf sich selbst zeigendes Seufzen, Rücktippeln ins Interieur.

Da waren die Unterhaltungen einiger lateinamerikanischer Diktatoren kein begehrter Gesprächsstoff. Die Reaktion schwankte zwischen Mitleid und Verachtung. Ein Kritiker erhob gegen das Buch den Vorwurf, sein Verfasser habe dort weitergeschrieben, wo er das letzte Mal aufgehört habe: als sei es unzulässig, die dazwischenliegenden Moden, die in Deutschland wohl häufiger wechseln als die Parolen in Peking, nicht mitgemacht zu haben. Ein anderer Kritiker beanstandete das Fehlen jeglicher künstlerischer »Innovation«, das Buch bringe »nichts Neues«.

Das stimmt. Die Tatsache der Unterdrückung, Folterung und Ermordung der Menschen in Lateinamerika ist nichts Neues, wie auch Armut und Hunger für die Zeitungen eine tägliche Nicht-Nachricht sind. Und es stimmt: Nicht nur wollte ich nichts Neues bringen, sondern ich wollte mit dem Stück an das tägliche Vergessen von etwas Altem erinnern. Und nicht nur wollte ich an das Vergessen von etwas Altem erinnern: Ich wollte von dieser Absicht durch keine Kunststücke ablenken. Man wagt es kaum zu sagen: Aber ich habe das, was ich geschrieben habe, nicht geschrieben, um etwas »Neues« zu schreiben und auch nicht auf der Jagd nach einer »künstlerischen Innovation«, sondern weil ich das Material möglichst vielen Leuten mitteilen wollte.

Jeder, der schreibt, weiß, daß es die Überlegung, ob das Geschriebene »neu« sei, beim Schreiben nicht geben kann, da man vom Material erfahren muß, wie es darzustellen sei und woraus es bestehe. Die Beobachtung, daß etwas »neu« sei, kann vielleicht hinterher kommen und von Personen, die ein Interesse daran haben, dauernd etwas neuer zu finden als etwas anderes. Und da finde ich nun, daß das Hauptquartier des »Neuen« das Warenhaus ist (oder Kunsthandel, Innenarchitektur). Denn was sind eigentlich die literarischen Kriterien für das Urteil, daß etwas »neu« sei? Doch wohl, daß man es vorher nicht gekannt zu haben vermeint. Das Urteil hängt also von den gründlichen Kenntnissen und dem guten Gedächtnis des Urteilenden ab. Das heißt: wichtigste Bedingung für das Urteil, daß etwas neu sei, scheinen lediglich ein schlechtes Gedächtnis oder mangelhafte Kenntnisse zu sein – Bedingungen, die man hier und dort erfüllt findet. Denn wirklich ist ja dieser Neuigkeitsfetischismus auch eine Einübung ins Vergessen, wobei die Geschichte dauernd mit einer Tinte geschrieben wird, die, kaum daß sie trocknet, verschwindet.

Man braucht wohl nicht zu erklären, warum die Anfälligkeit für das Neue, das heißt für alles, was das, was war, weiter wegrückt – ähnlich übrigens der Anfälligkeit für das Reisen –, in diesem Land gefährlicher ist als in anderen. Auch durch die Verwendung des Fremdwortes »Innovation« wird es nicht besser. Die Übersetzung ins Deutsche zeigt uns ein Wort aus dem Wörterbuch des Unmenschen. Erneuert wurde in diesem Jahrhundert wohl genug. Wie wäre es mit einem Moratorium für Neues?

Die Gefahr einer Ästhetik des Neuen besteht meiner Ansicht nach in der Fetischisierung der künstlerischen Mittel. Jedermann weiß, daß es nach Hunderten von Jahren literarischer Kritik zuverlässige Kriterien für das Urteil, warum etwas gut sei, nicht gibt. Ein trauriges Lehrbeispiel für die Mißanwendung ästhetischer Kriterien auf ein Material, das sich als einziges mir bekanntes jeglichem ästhetischen Zugriff versagt, ist die westdeutsche Rezeption des amerikanischen Fernsehfilms »Holocaust«. Sie werden, was ich dazu sagen möchte, nicht gern hören, aber es ist für mich so wichtig, daß ich es hier sagen muß.

Ehe der Film in Westdeutschland ausgestrahlt wurde, schrieben die Kritiker, daß es sich nicht lohne, ihn zu sehen, da es typisch amerikanischer Kitsch sei, eine »soap opera«. Zum Vergleich

wurde wiederholt eine in Amerika selbst kaum bekannte amerikanische Fernsehserie zitiert, in deren Titel das Wort »Farm«
vorkommt und die offenbar nur in Satellitenländern zur Kenntnis genommen wird von Kritikern, die solche Kunst benötigen,
um sich über sie aufregen zu können: ein Camp-Erlebnis, das bei
gleichzeitiger Verachtung des Gegenstandes dessen Genuß ge-
stattet.

Zur Empörung einer Einheitsfront westdeutscher Kritiker war fol-
gendes geschehen: Amerikaner hatten es gewagt, einen Film über
deutsche Vernichtungslager zu drehen, ohne vorher künstlerische
Ausführungsbestimmungen einzuholen. Noch schlimmer, sie hatten sich um gar keine künstlerischen Regeln gekümmert, um keine
Mode. Nach Ansicht der Kritiker muß die fürchterlichste Barbarei
in der Geschichte der Menschheit, muß gerade dieser Gegenstand
künstlerisch ganz besonders gut dargestellt werden. Als ob es irgendeine künstlerische Form gäbe, die diesem Gegenstand gerecht
würde! Daß es nämlich ein Material geben könnte, dem gegenüber die Frage der künstlerischen Konkretion vollkommen irrele-
vant ist, ist leider nur ganz wenigen aufgefallen (soweit ich sehen
konnte Böll und Gräfin Dönhoff). Als ich den Film anläßlich seiner amerikanischen Premiere vor einem Jahr in der ›Zeit‹ rezen-
sierte, fand ich gerade die vollkommen unprätentiöse Form der
»soap opera« – die man ja, nebenbei gesagt, als eine moderne
Form des aneinanderreihenden Epos verstehen könnte –, fand ich
also diese ärmliche, simple Form als dem Material am angemes-
sensten. Und, wie sich herausstellte, auch am wirkungsvollsten.

Nun ereignete sich aber etwas noch Schlimmeres. Zum Zorn der
Kritiker interessierte sich das Volk für diesen Film, es lernte von
ihm, obwohl die Kritiker das Volk doch ausdrücklich vor dem
Film gewarnt hatten. Nun kann man bei allem berechtigten Mißtrauen gegen den Verstand und Geschmack des Volkes in Deutschland als Kritiker das Volk nicht schelten, wenn es sich auf einmal
für Auschwitz interessiert. Das geht nicht. Man konnte zu dem
Volk auch nicht sagen: »Es ist ja sehr erfreulich, daß ihr euch endlich für die Untaten des deutschen Faschismus interessiert, aber es
ist ein Zeugnis eures mangelhaften Kunstverstandes, daß ihr euch
ausgerechnet anläßlich dieses Films für diese Untaten interessiert,
also wäre es doch besser, wenn ihr aufhört, euch für diese Untaten
zu interessieren und euer Interesse verschiebt, bis jemand, der uns
Kritiker zufriedenstellt, einen Film gemacht hat, dann kommen
wir noch einmal auf die Sache zurück!«

Aber die Kritiker schlossen aus der nicht mehr hinwegzuleugnenden Tatsache, daß das Volk etwas gelernt hatte, nun messerscharf, daß das Volk, da es etwas gelernt habe, nicht viel und nur für ganz kurze Zeit lang etwas gelernt habe, da der Film austauschbare Emotionen freigesetzt habe. Auch lenke die Beschäftigung mit den Untaten des deutschen Faschismus von der Beschäftigung mit den gegenwärtigen, umgebenden Untaten ab.

Ich selber muß dieses letzte Argument entschieden ablehnen. Ohne die frühe Auseinandersetzung mit dem deutschen Faschismus hätte ich nie die Empfindlichkeit zum Beispiel für die furchterregenden Einschränkungen der Bürgerrechte in diesem Staat gelernt. Und was das Argument angeht, die Empörung des Volkes über die Untaten des deutschen Faschismus werde vorübergehen – nicht zuletzt übrigens dank der täglich wiederholten Feststellung der Kritiker, sie werde vorübergehn –, also gut: sie wird vorübergehn. Aber wenn es nach den Kritikern gegangen wäre, dann wäre die Empörung doch nicht einmal eine Sekunde lang dagewesen. Ist es nicht ein unerlaubter Optimismus, anzunehmen, ein einziger Film oder irgendein Kunstwerk könnte das Bewußtsein eines Volkes entscheidend verändern?

Ich wünschte, die Kritiker hätten die Gelegenheit erkannt, zur Abwechslung selbst einmal etwas zu lernen, nämlich eine kritische Einsicht in die Fragwürdigkeit ihrer Kriterien. Um zu akzeptieren, daß es Hervorbringungen gibt, bei denen es einzig und allein um die Notwendigkeit geht, Kenntnisse zu verbreiten – – gleichgültig, mit wie brüchiger, heiserer, kunstloser Stimme –, muß man das entscheidende Zugeständnis machen, daß es etwas gibt, was wichtiger ist als die Kunst, leider.

grabstein eines satirikers

gerüttelt
am baum der bürokratie

erschlagen
von herabregnenden idioten

PETER PAUL ZAHL

Nicolas Born *Drei Gedichte*

Keiner für sich, alle für niemand

Wie es mir vorkommt das kahle Licht
in dem ich still, eingesunken, weiteratme
– geräumter Saal, Stühle auf den Tischen
ich war nie so zufällig

Im Treppenflur weht die Zeitung auf
ich fühle mich auf einem Schiff, das Messing
blinkt, und schöne Handschrift in Kontoren.
Der Schmerz ist dünn geschliffen bis die Welt
erfährt. Die Welt erfährt nicht

Die Erde wiederholte sich, ich glaube du und ich
wir sind jetzt kaltgestellt, Vorfahrn von nichts.
Vertraute Wege sind weg
in irgendwelchen Zielen abgefangen

Abgefangene Nachrichten, scheinbares Leben
Datenungeheuer werden gesucht.
Gute Not, ihr Fehlen macht mich kopflos
überall verlangt das stille Geld zu arbeiten

Vom Fenster aus seh ich die Menge
eingehn in die Hallen, in die rieselnde Maschine
geplünderte Gesichter, der Morgen leergemacht
keiner mehr für sich, alle für niemand

Deine Schuhe stehen aufgeweicht neben dir
du bist so fest in deinem Gefühl zu mir, daß es
zu viel für mich ist,
die Ernte leuchtet, Prunkzeug der Wissenschaft
die Welt gesehen, durchschaut was nicht dahinter

Sonne da, gesiebt das Land von dir zu mir
so schön du bist von allem abgetrieben
wir können uns nicht treffen in den Zimmern
noch hier im Park der gefegt ist

Versicherungsbeton wächst höher in den Zahlenhimmel.
Bitte eine Boulette, aber schön scharf!
Geschwollene Beine in der U-Bahn
schöner blauer Havelhimmel
Gift nach dem Gießkannenprinzip
gefrorene Eisprinzessinnen im Europacenter
dampfende Pappbecher
schöne Mundharmonika im Fernsehspiel
flaue Filmemacher
graue Senatoren
ratternde Flipper in den Spielhallen.

Fühlst du dich auch so großartig?
So großartig bevorzugt? Es ist das Gefühl
 noch Gefühle zu haben.

Hast du auch eine soziologische Freundin?
Mensch, du sitzt so gut wie in der Zelle,
hast dir auch nur ein Fenster an die Wand gemalt
 oder siehst du noch was?

Schon wieder ein Kugelschreiber verloren oder
 lösen die Dinger sich auf.
Gib mir den andern Schlüssel zu deiner Wohnung.
Hier, faß mal an! Das ist wahr, was du hier fühlst,
endlich Realität die man wie Theorie
 in den Mund nehmen kann.
Einmal nach dem Krieg ist mein Schuh in der Straße
 steckengeblieben; stundenlang hab ich
 den anderen im Arm beweint.

Vielleicht schreib ich mal was über die Traumwelt
 der Millionenerben, die vollkommen ungegenständlich
 arbeiten: sie schieben bloß Metaphern herum.
Aber eines Tages werden alle Bilder wahr: eine
vollkommene Frau auf meinem Sofa, so eine Große,
 Traurige, mit makelloser Haut, eine Unmißverständliche
wie sie vorläufig in Illustrierten liegt
auf dem Höhepunkt ihrer Karriere.

Entsorgt

So wird der Schrecken ohne Ende langsam
   normales Leben
Zuschauer blinzeln in den Hof
   im Mittagslicht
Kleinstadt, harte Narbe ziegelrot
Gasthaus, wehende Gardinen
und am Schreibtisch ist jetzt gering
   der persönliche Tod
Ich kann nicht sagen, wie die Panik der Materie
   wirkt, wie ich in meiner Panik
die nicht persönlich ist, nur an die
   falschen Wörter komme.
Das sorgend Schöne fehlt mir an *Krypton* und
   Jod 129. Mir fehlt die Zukunft der Zukunft
mir fehlt sie.
Mir fehlen schon meine Kindeskinder
Erinnerung an die Welten
mir fehlen Folgen, lange Sommer am Wasser
harte Winter, Wolle und Arbeit

Hier entstehen Folgen starker Wörter
die leblos sind, das verruchte Gesindel
   spürt nichts, sie schließen die Kartelle
keine Ahnung was sie in die Erde setzen
Ahnung nicht, nur Wissen
was sie in die Erde setzen in Luft und Wasser
   für immer
kein Gefühl für »immer«. Den Tod
sonderbehandeln sie wie einen Schädling
der gute Tod vergiftet wie die liebe Not.
Was schändet ihr die Gräber meiner Kindeskinder
was plündert ihr den Traum der Materie,
den Traum der Bilder, des Gewebs, der Bücher
   Knochen.

Die Trauer ist jetzt trostlos
die Wut ohne Silbe, all die maskierte Lebendigkeit

all die würgende Zuversicht
Gras stürzt, die Gärten stürzen, niemand
    unterm Geldharnisch fühlt die Wunde
entsorgt zu sein von sich selbst.
Kein Gedicht, höchstens das Ende davon.
    Menschenvorkommen
gefangen in verruchter Vernunft, die sich
    nicht einmal weiß vor Wissenschaft.
Kein Schritt mehr frei, kein Atem
kein Wasser unerfaßt, käufliche Sommerspuren
die Haut der Erde – Fotoabzüge
die betonierte Seele, vorbereitetes Gewimmer
    das dann nicht mehr stattfindet
    vor Stimmgebrochenheit.
Winzige Prozeßrechnungen in der hohlen Hand
    beleben die Erde, alleswissende Mutanten
dafür totaler Schutz vor Erfahrungen.
Lebensstatisten, Abgänger. Am Tropf
    der Systeme.

Gekippte Wiesenböschung, Engel, ungewisse,
warmer Menschenkörper und Verstehn
Gärten hingebreitet, unter Zweigen Bänke...
    ...Schatten...Laub...im Wind gesprochen
    ....Samen

»Heim zu den Genüssen«. Eine einzelne Sau mit vierzehn oder wieviel prallen
Zitzen und ein einsames, einzelnes Ferkel, das an ihnen ohne nachzuzählen saugt.
Es weiß der Stall vor Scham, vor Stall, vor Unbill nicht, wo er sich lassen soll.

ELKE ERB

Alfred Andersch   *Philosophisches Märchen*

Es war einmal ein deutscher Philosoph, der galt als der größte aller deutschen Philosophen, denn er hatte etwas herausgefunden, das er *den absoluten Begriff* nannte. Der absolute Begriff sei von Anfang an da gewesen, erst später habe er sich *»entäußert« und in die Natur verwandelt. Das Denken und sein Gedankenprodukt, die Idee, seien also das Ursprüngliche, die Natur das Abgeleitete,* so meinte er, und das Bewußtsein sei also früher da gewesen als das Sein. Zwar konnte er nicht erklären, auf welche Weise denn der Begriff die Welt hervorgebracht hatte, aber die meisten anderen deutschen Philosophen fanden es vorzüglich, daß das Wort *Gott* durch die Wörter *absoluter Begriff* ersetzt worden war, denn so weit waren sie immerhin schon gekommen, daß sie das Wort *Gott* fatal fanden, indessen ihnen das Wort *Begriff* das Gefühl gab, das Sonnensystem sei letzten Endes von der deutschen Philosophie erfunden worden. Nur einige wenige von ihnen wagten zu widersprechen und erklärten, nicht der Geist habe die Welt erschaffen, sondern diese sei von Ewigkeit da, sei entstanden und entstehe fortwährend aus einer ohne Anfang und Ende existierenden Selbstbewegung der Materie. Leider aber schütteten sie das Kind mit dem Bade aus und behaupteten, auch *das Denken und Empfinden des Menschen sei bloß eine Tätigkeit des Körpers, nicht aber einer besonderen, in diesem Körper wohnenden und ihn beim Tode verlassenden Seele.* Das nahm ihnen niemand ab, denn jeder Mensch macht immer wieder die Erfahrung, daß er eine Seele hat – nämlich in der Liebe. Die Liebe ist etwas mehr und etwas anderes als eine durch irgendwelche Eigenschaften der Materie ausgelöste Empfindung. Ein weiterer Beweis für die Existenz der Seele ist die Stimmung, der Einfluß, den Zustände des Lichtes oder die Formen von Gegenständen auf uns ausüben. Die materialistischen deutschen Philosophen hatten gänzlich vergessen, daß schon siebenhundert Jahre vor ihnen ein arabischer Philosoph das Problem der Seele gelöst hatte. Er hatte gesagt: ja, die Welt ist nicht geschaffen, sondern ewig, aber es gibt nicht nur eine ewige Materie, sondern auch eine ihr von Ewigkeit angehörende Seele, und die Seele, die jeder Mensch besitzt, fällt nach seinem Tode in die große Weltseele zurück. Und ein jüdischer Philosoph, der fünf Jahrhunderte später lebte, pflichtete ihm bei.

Es gäbe eine Substanz, meinte er, die sei zugleich Materie und Geist, und sie bilde in den Erscheinungen Modi aus, die kämen und vergingen und würden wieder Substanz. Als die deutschen Philosophen sich an diese beiden Denker erinnerten, den Araber und den Juden, begruben sie ihren Streit und begnügten sich fortan damit, die Substanz und die Weltseele zu verehren, und erforschten nur noch das, was erforscht werden kann: das Verhältnis der Seele zu ihren materiellen Bedingungen. Und nur indem sie weder die Realität der Seele leugnen noch dem Hirngespinst nachhängen, die Natur sei aus dem Begriff entstanden, wird ihr Geist weiterleben, auch wenn ihre Gehirne längst gestorben sein werden.

Kommentar: Bei dem Philosophen, von dem zu Beginn die Rede ist, handelt es sich natürlich um Hegel. Dies ist für jeden klar, der die kursiv gedruckten Sätze oder Satzteile als Zitate aus Engels' *Ludwig Feuerbach und der Ausgang der klassischen deutschen Philosophie* erkennt. Ich hätte es vorgezogen, sie nicht durch Kursivdruck hervorzuheben, denn es ist in diesem Falle ziemlich gleichgültig, ob man Engels (oder Andersch) liest, aber den Vorwurf, mich mit fremden Federn zu schmücken, fürchte ich schließlich doch. Das (stilistische) Merkmal des Märchens besteht darin, daß es vom Phantastischen spricht wie von etwas Wirklichem. Dornröschen kann hundert Jahre schlafen und dann durch einen Kuß geweckt werden, basta, das nimmt dem Märchen-Erzähler jeder Zuhörer ohne weiteres ab. Realismus ist in erster Linie ein Stilprinzip; durch die Art, wie es vom Phantastischen spricht, kann das Märchen realistischer wirken als ein Roman von Zola. Sein phantastischer Inhalt aber verleiht ihm einen Abglanz von Utopie. Der utopische Charakter meines Märchens über die Zukunft der Philosophie liegt auf der Hand, doch hege ich die gleiche Hoffnung wie Lenin, der gemeint hat, die Menschheit nähre nur Utopien, die sich verwirklichen ließen.

Peter Härtling *Die Fragenden*

In Buchenwald wurden die drei jungen Männer vor eine Land-
karte geführt, auf der alle Konzentrationslager mit ihren »Neben-
stellen« aufgeführt waren. Verblüfft fanden sie auch den Namen
ihrer Heimatgemeinde, W. Davon wußten sie nichts, hatten sie nie
etwas gehört. Heimgekehrt, erkundigten sie sich zaghaft auf dem
Magistrat, ob es in W. oder in dessen Umgebung während der
Hitlerzeit ein Lager gegeben habe. Dies könne nicht sein. Nein.
Davon müßte man wissen. Da die drei Jungen Kommunisten waren, hielt man sich eher noch mehr zurück.
Sie blieben hartnäckig, fragten weiter, vor allem die älteren Bürger der Stadt. Niemand konnte sich erinnern. Schweigen oder Un-
willen waren die Antworten, die sie bekamen. Da sie in ihrer
Stadt wohl nichts erfahren würden und das Schweigen sie
schmerzte, wendeten sie sich an Archive, auch im Ausland. Sie bekamen rascher Auskunft, als sie erwartet hatten.
Sie lasen, daß ein Konzentrationslager in einem der Stadt nahen
Waldstück bestanden habe. Daß in diesem Lager 1600 ungarische
Jüdinnen gefangen gehalten worden seien. Daß diese Frauen für
eine Firma auf dem Flughafen hätten arbeiten müssen. Sie er-
fuhren auch, daß mindestens sechs Frauen von der Wachmann-
schaft zu Tode gequält worden seien. Als sie dies alles wußten, vor
sich liegen hatten, schwarz auf weiß, als die Vergangenheit ihrer
Eltern sichtbar wurde in Dokumenten, von Mörderhänden abge-
griffenen Papieren, als die Stadt zu flüstern begann, noch nicht
mehr, fingen die jungen Männer im Wald an zu graben. Sie stie-
ßen bald auf die Fundamente der gesprengten Baracken, fanden
Helme, Werkzeuge. Jeden Abend saßen sie zusammen, schrieben
auf, sammelten, zeichneten den Grundriß des Lagers.
Plötzlich begannen einige Bürger doch zu sprechen. Das Schweigen redete: Warum sie an diese alten Geschichten rührten. Das
gehe sie nichts an. Sie sollten die Hände davon lassen. Sie be-
schmutzten mit dieser Wühlerei das Ansehen ihrer Gemeinde.
Das Waldstück gehöre gar nicht zu W., sondern zu Z. Aber sie
hörten auch, es habe vor einigen Jahren eine alte Frau nach dem
Lager gefragt, nach einer Gedenkstätte, an der sie Blumen nie-
derlegen wolle. Sie erhielten, nachdem ihre Suche bekannt geworden war, Briefe aus allen Himmelsrichtungen. Aus Israel mel-

deten sich Überlebende. Die jungen Männer sparten und fuhren hin, um die Frauen zu befragen. Einer von ihnen berichtete, er habe, weil der Schmerz für ihn so übermächtig geworden sei, das Tonband abstellen müssen. Er ersetzte das Schweigen seiner Väter durch seines.

Sie entdeckten die Gräber der sechs ermordeten Frauen. Nicht auf dem Friedhof in W., sondern auf einem Friedhof in dem dreißig Kilometer entfernten O.

Da sie nun das schreckliche Schweigen begriffen hatten, da sie genau und unerbittlich nacherzählen konnten, was geschehen war, legten sie Wert darauf, daß ein Stein mit einer Inschrift an die verleugnete Stätte erinnere. Wieder wehrten sich die Stimmen. Dann müßten auch die Opfer des Kommunismus. Wenn überhaupt. Warum überhaupt? Ihre Geduld setzte sich durch. Den Stein wird es geben.

Kurz vor Vierundachtzig:

Mit Meinungsfreiheit und Kunst bedienen wir die
Rechtfertigungsmaschinen des Systems. Die
uns die Maschinen bauten, sitzen erschöpft,
aber noch nickend, vorm Schirm.

MARTIN WALSER

Helga M. Novak *Versuchsfeld*

bei Novemberhimmel gehe ich an die Dinge
dicht heran die Grenze die Pfähle
auf jedem ein Bussard mit hängenden Lidern
ich bin im Versuchsfeld
denn die normale netzartige verwurzelte
Grasnarbe ginge hier ein bei dem Wind
dafür dies Feld aus Buckeln und Klumpen
schon bei dem leisesten Frost
rutsche ich von den Büscheln
ein Versuchsfeld
eine richtige Grenzzunge
dann Schluß

Grenze bei jedem Wetter und ich denke
die ist längst durch mich hindurchgewachsen
ich fühle direkt die Spieße die Pfähle im Fleisch
auf jedem ein Bussard
kein Nebel und ich sehe
nun diesseits eine Grenze von oben
eine Abschirmung die niedersinkt
der raffiniert bewegliche Helikopter
kreist überm Versuchsfeld und gleitet
mir vor die Füße
acht Sensen
ein fliegender Tod
ein Rumpf und Menschengesichter
hinter Doppellauf-Augen
die sehen mich doch hier stehen
und scheinen trotzdem die Zahl
zu erhöhen der Umdrehungen ihrer Flügelblätter
die Druckluftdüsen
reißen mir die Luft weg
nein die Grenze die Pfähle sind noch da
die zieht mir
so schnell keiner

Karl Krolow   *Das Fürchten geht weiter*

Es ist hier nicht leicht, ganz natürlich geradeaus zu gehen, folge-
richtig zu sein, ohne Anstrengung. Das Cartesianische gibt es nicht,
es sei denn im Frühjahr, beim folgerichtigen Blühen. Das ist, wenn
wir Glück mit dem Wetter über dem Land haben, beinahe er-
rechenbar. Unberechenbar bleibt das meiste. Dies war immer so
ähnlich, ob man an gotisch oder an Gewehre denkt. Man kommt
von einem rasch auf das andere. Es scheint nichts miteinander zu
tun zu haben und könnte allenfalls in einem Gedicht zusammen-
gebracht werden, als deutsches Schmuckstück, vertikal und das andere mehr für den Gebrauch bestimmt. Die Konsequenz ist etwas
Märchenhaftes, das heißt, das Märchen ereignet sich weit eher.
Man braucht mitunter nur um die Ecke zu biegen, und es wird
grundunheimlich. Das Böse gibt es wirklich, verkleidet und bei
Gelegenheit durchaus sich so zeigend, wie es vom Bösen geschaffen wurde, nackt und bis an die Zähne gehorsam oder auf eine
Art und Weise aufsässig, die wiederum an Gehorsam grenzt.
Diese besondere Parole, von Mund zu Mund geatmet: Aufsässig-
keit. Sie scheint leicht zu erlernen. Viele halten sich so über der
Untiefe und lassen Innerlichkeit gar nicht erst aufkommen. Die
ist wirklich zu fürchten. Niemand brauchte hier mehr auszuziehen,
das Fürchten zu lernen. Es war uns angelernt oder wir bekamen
es um die Ecke und umsonst, wurden rasch bedient, bis an die
Zähne korrekt, und für manches Gebiß lag der Maulkorb bereit.
Er war in günstigen Zeiten so gearbeitet wie eine Tarnkappe.
Er lag unsichtbar auf. Man glaubte frei zu atmen und war schon
am Ersticken. Da half auch keine Poesie, die auch nicht wie das
cartesianische Frühjahr gedieh, konsequent, allenfalls verbissen,
unerbittlich und bis zum nächsten poetischen Zusammenbruch
tapfer.
Deutschland hat seine Landschaften, seit einiger Zeit seine Land-
schaftsschützer. Kein Land kommt aus ohne Landschaften, und
nicht nur hier sieht Landschaft entweder zersiedelt (urbanisiert
nennt man es unter Kennern) oder wie ein nationales Lied aus,
kernfest und auf die Dauer. Die nationale Luft stieg hier früher
in die Luft, kein Rauchzeichen, eine Selbstverständlichkeit. Man
liebt Umwege, Dickichte, Geheimnis in grüner Verkleidung und
manche tragen Lodenmäntel zu Grabe, grünen Loden. Man

kommt leicht vom Hundertsten ins Tausendste. Die Oberbekleidungen wechseln. Das Unverwechselbare ist als Denkmal zu besichtigen. Mathematisches Entzücken ist lediglich eine Verständigungsformel für Romanophile. Bloch, um nochmals Wald zu nennen, nannte den (deutschen) Wald einen gotischen Heiden. Wir sind zu ernst und zu gründlich, um diese Entdeckung bestätigen zu können. Wir müßten nachforschen lassen, müßten Statistiken anlegen können und von vornherein mehr Sicherheit einbauen, die an Gewißheit, wenn schon nicht an Glauben grenzt.

Es wimmelt weiter von Seelen in der Brust. Es kommt dabei nicht auf die Breite des Thorax an: athletisch oder asthenisch machen da einen geringen oder gar keinen Unterschied. Es gibt auch die Seele der Progression. Sie ist noch schneller um die Ecke und aus der Sicht als das meiste andere. Es wimmelt von Zwischenfällen. Keine Urbanistik kann da planen und helfen. Die Zwischenfälle mehren sich im planen Umgangsverkehr, der sich vor small talk fürchtet. Auf Furcht, früher Gottesfurcht, zuweilen Staatsfurcht, muß man immer wieder zurückkommen. Die Furcht, zu schnell nach vorn auszureißen, ist nicht die geringste unter ihnen. Die Ausreißer sind manchmal wirklich begabt. Sie reißen aus vor Podiumsgesprächen wie vor der Geschichte ihres Landes, bewältigen Vergangenheit und werden bei zu schnellem Tempo mit Blindheit geschlagen, die kontaktfrei schwebt und erstaunlich ist oder ärgerlich für die noch nicht Blinden, die auf verwandtem Wege sind.

Vaterland kann kaum noch erlitten werden. Der Generalmarsch wurde anderen getrommelt. Wir sagen uns manchmal tapfer die Meinung. Doch die Akustik bleibt schlecht. Es hören wenige hin. Die meisten haben es immer noch im Gefühl. Sie sind nicht nur wetterfühlig, sondern geschichts- und zukunftsfühlig. Utopie ist noch etwas anderes. Etwas für Leute, die den absoluten Rekord wollen, den absoluten Hochsprung und Weitsprung oder Fehlsprung. Die mit Gefühl können sich ins Dickicht zurückziehen. Die mit der Utopie bleiben in der Luft hängen und sind eine Weile zu besichtigen, bis man es leid ist und dem Schützenswerten weiter anhängt: der Tagesordnung, der Tarifordnung, dem Punkt-um-Punkt-System.

Wer in echogünstigen Gegenden ›Deutschland‹ ruft, bekommt eine immer andere Antwort. Das ist das entschieden Originelle und Gefährliche und manchmal Menschliche an dem Wort mit den zwei Silben, die beide gleich stark oder schwach zu betonen sind. Man kann sich nicht ohne weiteres an ihm verschlucken. Es ist schon ausgesprochen, ehe es schwierig wird, und kommt immer neu zurück, mißverständlich und getreu einer besonderen Akustik, von der schon die Rede war. Es spricht sich zu einfach aus bei zuvielen Gelegenheiten, wenn auch die Gelegenheiten schwinden, von Sportweltmeisterschaften und wenigem Vergleichbaren einmal abgesehen.

Man kann den Zweisilber nicht deklamieren, und wer es tut, irrt sich. Eigentlich ein Wort, um sich in Bescheidenheit zu üben und es möglichst wenig zu verwenden, fast nie, aber deshalb nicht still im Herzen tragen, rechts oder links, wo Herzen sitzen. Herzen wandern auch bei uns wie andere Organe, den Internisten zum Trotz. Bescheidenheit ist nicht als Trick fürs Weiterkommen zu empfehlen. Aber daß sie anwendbar ist, dafür gibt es Anzeichen. Man muß nach fremden Wörtern suchen, die sich, nicht nur weil sie fremder Herkunft sind, bei uns zu wenig eingebürgert haben. Sind sie zu wenig »bürgernahe«? Ich meine, Zivilcourage ist wie Bescheidenheit anwendbar. Nur Mut! Wir hatten entweder zuviel oder gar keinen Mut, je nach dem Datum und welches Jahr man schrieb.

Wer den Zweisilber sparsam verwendet, ist dennoch nicht aus dem Gefahrenbereich, daß ein anderer einen Schlachtruf vernimmt, wo nicht einmal eine Parole gemeint sein konnte, auch keine Gesinnung, schon gar keine Verhaltensregelung. Man gerät auch in Zukunft unter Landsleuten zu rasch außer Hörweite. Das ist ein kleines Übel, verglichen mit vielen, lautsprecherverstärkten Übeln. Jedes Wort zuviel schadet. Schon zwei Silben, ausgesprochen, können zuviel sein. Das Märchen, das Fürchten geht weiter.

Ich weiß es nicht, halte es aber für möglich, daß das Märchen vom Wolf und den sieben Geißlein ein typisch deutsches Märchen ist: wo anders kann man sich einen vergleichbaren Verlust an Instinktsicherheit vorstellen, daß Wesen die eigene Mutter nicht sofort erkennen, daß sie, wenn einer mit Mehlpfote und durch Kreide gedämpfter Stimme Einlaß begehrt, auf diese plumpe Täuschung reinfallen? Wie erst, wenn Figuren auf der gesellschaftlichen Bühne auftreten, die entschlossen das *Innen* nach außen kehren und Erlösung vom ganzen Elend der Unsicherheit versprechen? Was den Nazis ihr mörderisches Geschäft ermöglichte, war weniger die aktive Beteiligung der Bevölkerung daran, als das Wegsehen, die Erstarrung, die zu Erfahrungs- und Wahrnehmungslosigkeit führt. OSKAR NEGT

Bettina Wegner   *Eh noch die Eiszeit ausbricht*

Eh noch die Eiszeit ausbricht
ein letzter warmer Atemzug
ein Wort noch
ach das quillt schon
mit Nebelatem
in den kalten Tag
Der Mann da auf dem Bürgersteig
trägt Reif um seine Stirn
zwischen den Zähnen mahlt er langsam
aus Glas die Kugel
zu Dezemberstaub
Gott
eh die Nacht kommt
gib noch einmal Licht
ganz hell und heiß
eh die Armee von Feiglingen
die Sohlen ihrer Stiefel probt
im Schnee
Wo sind wir denn bloß hingekommen
Das Ungeborne übt
schon den Bückling
Wer schützt uns noch
und wie
vor uns?

Irrtum vom Amt

Für den, na, reibungslosen Ablauf des Empfangs des Vorsitzenden des Staatsrats
wurde in die Stadt C., wo ein Stahlwerk errichtet worden war, der Bau eines Kul-
turhauses vergeben. Durch einen Irrtum wurde der Kreisstadt K., die sich ebenso
spricht, der Bau avisiert, und die Stadtväter griffen bedenken- und bewußt ge-
dankenlos zu, sich vorhaltend, den Besuch nicht mit den losungsgeschmückten
Fachwerkhütten ihrer City abspeisen zu können. Was sie jedoch nicht zu bieten
hatten, war ein Stahlwerk, was aber nicht ins Gewicht fiel, da der Vorsitzende
seinen Weg nach C. nahm, wie es seine Richtigkeit hatte. Wo dann allerdings
das Kulturhaus als fehlend entdeckt wurde: zu auch keinem langen Entsetzen,
weil da das Stahlwerk war, das so oder so ein Kulturhaus nach sich ziehen würde.
Das irrtümlich, in den Maßen der Stadt fulminante, Gebäude in K. steht noch
immer und wird unterdessen von anderen Leuten gut besucht.   VOLKER BRAUN

Adolf Endler
Die Wirtin vom Feuchten Eck oder der Sprung

1

Und Coca lispelt: »Wir? Wie überall! Das klappte gut
In Halle, wenn uns wieder der Schamottestein im Stich ließ,
Zulieferungsprobleme auch schon damals, *keine Angst,*
Dann stellten wir die Produktion per D-Zug um und stanzten
Die grünen Frösche wir, Hupffrösche, aus den Dünnblechresten,
Ganz mit dem Herzen bei der Sache. Schön, wie man dem Frosch
In seinem Hohlbauch eine Füllung schwarzes Pech *anbrachte;*
Sodann die Feder: aus Metall, aus irgendwelchem Schrott – –
Die diesen Arbeitsgang ausführte, das war ich: Mit Juppheidi
Wurde die Feder in das Pech gepreßt. Jetzt braucht man nur
Noch warten, bis dieselbe sich entspannt und sich mit hellem
Knacks oder Schnappgeräusch der Sprung *vollzieht* ...« Spricht
Coca und:

2

»Bockwurst ist alle leider! Bist Du taub, Du Frosch!«, schreit Coca.
»Doch fallst Du die Boulette willst? Vom Donnerstag!« Und stöhnt:
»Wie Ihr mich wieder nervt!« Und keift: »Wer hier im
FEUCHTEN ECK
Zuerst bedient wird, das bestimme ich, Du Frosch! Erst Endler!
Nochmaldasselbe, Adolf?« Und zwei Fliegenfänger über ihrem
Scheitel
– »Nochmaldasselbe, Eberhard? Nochmaldasselbe, Joe?« –,
Die ineinanderkleben und sich drehn, daß man die Fliegen
Leicht abzähln kann, so sieben, acht: Was starren die mich an,
Anstarr ich *sie*? Und Coca faßt sich ins Toupet, die Strähnen
Rotblonden Grüns, fragt: »Is wat?« – »Nee, die Fliegenfänger
nur!«
»Ach, nur die Fliegenfänger ... Noch mal'n Doppelten und'n
Bierchen?«
– »Nochmaldasselbe, weißt Du doch, Carola!« – »Bon!« Die liebt
mich.

Frank-Wolf Matthies   *Die Mauer*

Daß ich nicht fliehe   niemand sich nähere   über gebotene
distanz   richtet sich auf   mir meine mauer   Die bitteren
schüsse treffen ins herz nur   mich   nach der flucht
manchmal   öffnet sich wortbreit ein spalt   Einlaß gewähren
kann dir schon ein blick   deiner augen   Nachrichten erreichen
mich noch   statements bleiben zeitweilig zurück   Mit jedem
tag verringert sich die chance   zu entkommen   Gleichmäßig
schützt sie mich   von innen nach außen   fest gefügt mit
tag-&-nacht-träumen   aus hoffnung & resignation   Die Mauer ist
organisch: jeder durchbruch sendet die heftigen signale
einer wunde   weißer schorf schließt jedes loch   Narben weisen
sie aus   Das hoffen auf hoffnung, flüstern verstohlen die spitzel
   Gültige verfassung bleibt die eigene   Die fahnen wehen
auf halbmast   Daß ich nicht fliehe   niemand sich nähere
über gebotene Distanz   richte auf ich mir meine mauer: der
stacheldraht der Worte bewahrt noch immer   mich   vor mir
selbst   :die bitteren schüsse treffen ins herz   nur nach flucht

Aber nur ein sehr gutes

»Ein Buch, ein sehr gutes Buch kann eine ganze Kompanie von Abschnittsbevoll-
mächtigten ersetzen.«   WERNER NEUBERT

(Neubert: Mitglied des Präsidiums des Schriftstellerverbandes der DDR; Ort/
Zeit: Theoretische Konferenz der Kinder und Jugendliteratur, Rostock, 1. 4. 1979;
Abschnittsbevollmächtigte heißen bei uns Kontaktbereichsbeamte – kurz: Polizei.)

Rainer Kirsch   *Zwei Gedichte*

Soziologie des Witzes

Drei Soziologen, forschend über Witze
Ergründeten im Auftrag gegen diesen
Daß jeder zweite besser geschöpft wird
Im Apparat. Zum Beispiel: Rentner
In England gehn, nach Aufstehn, Duschen, Porridge
Und Zeitung gegen elf, einer Zigarre
Rauch fortblasend, zum Hydepark. Die in Frankreich
Wo man zu Hause nicht frühstückt, trotten halb elf
Nach Hörnchen, Kaffee und Pernod im Bistro
Frauen gutachten oder Angeln. Unsere
Haun fünf Uhr fünfundzwanzig auf den Wecker
Springen ins Zeug, schlucken ein Meßglas voll
Herztropfen und, die Stullentasche packend
Humpeln zur Arbeit. Ach, denke ich
Vor Lachen ächzend, daß das Bauchfell wehtut
Wenn gehts dem Volk gut? wenn es Witze reißt
Wo sitzt das Volk jetzt? Oben. Über wem?
Ein Witz ist wann ein Witz: dann, wenn er wahr ist.

Rat zu üben

Dem Waffenlosen
Bleibt was? die Vernunft.
Wahr, es ist leichter sich aufzuhängen
Als das Gebelfer der Waffenträger
Fünf Minuten bloß zu ertragen:
Die Vernunft
Ist eine furchtbare Last
Nur die Vernünftigsten
Gehn mit ihr
Ein paar Schritte.

Wolfdietrich Schnurre
Vom Wert und Nutzen der Philosophie

1. Sein halbes Leben hatte er damit zugebracht, über das Sterben zu philosophieren. Schließlich war er in der Theorie derart beschlagen, daß er seine ganze zweite Lebenshälfte lang hoffte, in der Praxis erst gar nicht geprüft werden zu müssen.

2. Eigentlich erstaunlich, wieviel kostbare Lebenszeit man darauf verwendet, um diesen paar Stunden, die das Sterben schlimmstenfalls dauert, dann auch gewachsen zu sein. Warum nur? Um als Toter eine bessere Figur zu machen vermutlich.

3. Was mich betrifft, ich versage totsicher im Sterben. Als Toter dann allerdings hoffe ich wieder voll meinen Mann stehen zu können.

4. Das Empörende am Sterben ist nicht das Umgebrachtwerden. Das Empörende sind die Warnungstafeln, die uns von eins bis achtzig darauf aufmerksam machen.

5. Für mich *allein* wäre sterben kein großes Problem, ich bin gewöhnt, daß manches mir schiefläuft. Besorgniserregend wird es erst dadurch, daß offenbar *alle* es müssen.

6. Eine der größten Schwierigkeiten, die sich beim Sterben ergeben, liegt im Zurückbleibenmüssen.

7. Wieso eigentlich ›*Zurück*bleiben‹? Was hat der Sterbende denn heute abend noch vor?

8. Die ›Hinterbliebenen‹ implizieren einen betrüblichen Todesfall. Sobald man von ›Hinterbleibenden‹ spricht, scheint letale Berechnung im Spiele.

9. Die Philosophen sind Egoisten. Fast jeder hat sich ein Leben lang sein Vademecum für's Sterben geschrieben. Aber hat schon mal einer von ihnen an eine Dienstvorschrift für's Weiterleben gedacht?

10. Das Weiterleben nach dem Tode ist eine Selbstverständlichkeit. (Nur für die Überlebenden nicht.)

11. Sterben ist eine der wenigen Disziplinen, die der Laie so gut wie der Fachmann beherrscht. Ein Studium, das man sich sparen kann also.

12. Das Sterben eines Siebzigjährigen zeitigt einen merkwürdigen Nebeneffekt. Es belebt die Gleichaltrigen.

13. Oder. Was ihn so fit gehalten habe, wurde der Hundertjährige gefragt. Schmatzend verzog er den zahnlosen Mund. »Die Todesfälle Jüngerer.«

14. Jedoch. Noch nie haben Gleichaltrige derart bestürzt, wie nach dem Tod eines Fünfzigjährigen, in den Spiegel geblickt.

15. Daß den meisten das Sterben so schwerfällt, hat mit dem plötzlichen Ansturm der Abschiedsobjekte zu tun. Weshalb der Pessimist das Abschiednehmen auf's ganze Leben verteilt und am Lebensende schließlich so leicht ist, daß er das Sterben lediglich als Bestätigung seiner Korrektheit begreift.

16. Wobei als Nebenprodukt noch eine praktikable Ethik mit abfällt. Denn wenn ich täglich befürchte, die um mich sind, morgen nicht wiedersehen zu können, habe ich anders Umgang mit ihnen, als wenn ich zu wissen glaube, mich morgen schon *wieder* über sie ärgern zu müssen.

17. Ein total verabschiedeter Mensch. Hatte so oft von so vielen Abschied genommen, daß er bereits Abnutzungserscheinungen zeigte. (An Händen, Hutrand, Gesicht.) Und deshalb jetzt nicht mehr die Kraft, nun auch *wirklich* zu gehen. Wurde schließlich von all seinen Freunden, Bekannten gehaßt. Denn er hatte ja ein Versprechen gebrochen; das Versprechen, sich nun endlich davonmachen zu wollen.

18. ›Es hinter sich haben‹ ist (zwar christlich, doch) falsch gebildet im doppelten Sinne. Es setzt, obwohl nur noch ein Niemand vorhanden, einen Jemand voraus und suggeriert obendrein, daß die Hauptsache erst komme; denn hinter mir kann ich nur etwas haben, wenn auch noch vor mir was ist.

19. Der Tod hat dafür Sorge getragen, daß ›sterben‹ zur Gruppe der intransitiven Verben gehört. Daher der verzeihliche Glaube, er trete erst beim Exitus in Aktion.

20. Ist tatsächlich noch niemand auf den Gedanken verfallen, den individuell konturierten Schatten, der mir seit dem ersten Lichtüberfall folgt, mit meinem privaten, nur mir zugeschworenen Tod in Verbindung zu bringen?

Günther Anders *Politische Humoreske*

Während meines schon lange zurückliegenden Aufenthaltes in Usalien gab es dort eine kleine sektiererische Partei, einst gegründet von armseligen surischen Einwanderern, die ihre Heils- und Befreiungslehre aus ihrem damals von religiösem Fieber geschüttelten Mutterlande in ihre neue Heimat mitgebracht hatten. Die meist schon angejahrten Leute riefen auf zur totalen Umwandlung der Welt, ja sie behaupteten sogar in ihrem Blättchen, daß sie nur das Beste ihrer neuen Mitbürger im Auge hätten, wenn sie den Umsturz dieser Welt vorbereiteten. In der Tat waren sie von der Wahrheit ihrer Sache so glühend überzeugt, daß es sie nur wenig störte, wenn sie vorerst geduldig und Propheten in der Wüste bleiben mußten. Vergeblich waren ihre Bemühungen aber nicht nur deshalb, weil sie ein Usalisch sprachen, das nur von ihresgleichen, nicht aber von den alteingesessenen Usaliern verstanden wurde, sondern vor allem deshalb, weil diese echten Usalier sich niemals für die Stammesreligionen von Neuankömmlingen interessierten und weil sie auf nichts anderes aus waren als darauf, in der usalischen Welt, wie sie nun einmal war, und müßten sie dabei auch über die Leichen ihrer Konkurrenten hinwegsteigen, vorwärtszukommen. Kein Wunder also, daß sie für das Versprechen einer heilbringenden Umwälzung dieser Welt und ihres Landes überhaupt kein Ohr hatten. Wahrscheinlich wäre also alles beim alten, das heißt: bei der totalen Wirkungslosigkeit, um nicht zu sagen Unwirklichkeit dieser winzigen Sekte geblieben, wenn nicht eines Tages, schon Jahre nach ihrer Gründung, vermutlich durch einen Verräter, der usalische Geheimdienst von ihr Wind bekommen hätte, woraufhin es der Chef vom Dienst für opportun hielt, zwei Spitzel in das Grüppchen einzuschleusen und zwar, damit die beiden nicht auffielen, die Söhne zweier suritischer Immigranten der vorigen Generation, zwei sehr typisch suritisch aussehende junge Männer, die überdies – was sie in einer Prüfung beweisen mußten – den schweren suritischen Akzent ihrer Väter noch nicht verlernt hatten, also noch fließend radebrechen konnten. Natürlich ließ er keinen der zwei Agenten etwas von der Existenz des anderen wissen, vielmehr sollte jeder den anderen für »echt« halten und jeder gelegentlich über diesen rapportieren. Der eigentliche Auftrag der beiden bestand aber darin, sich in der Partei so extremistisch wie möglich aufzuführen, um herauszufinden, welche Parteimitglieder ihnen applaudieren würden, und diese Männer, damit sie weiter observiert werden könnten, sofort zu melden. Als die beiden im Abstande von zwei Wochen, weil ein gleichzeitiges Ansuchen um Aufnahme zu auffällig gewesen wäre, den Wunsch äußerten, Mitglieder der Partei zu werden, wurden sie, da sie die ersten jüngeren und – welch ein Wunder! – sogar in Usalien geborene Kandidaten waren, ohne jede Recherche als »frisches Blut« stürmisch willkommen geheißen und nach einer unverantwortbar kurzen Zeitspanne, weil sie das Usalische so gut beherrschten, sogar mit bedeutenden Aufträgen betraut – kurz: es war klar, daß ihnen, wenn sie sich keine allzuschlimmen Schnitzer zuschulden kommen ließen, nichts im Wege stehen würde, einmal ins Präsidium der Sekte gewählt zu werden. Dem Chef aber, den sie durch Mittelsmänner auf dem laufenden zu halten hatten, berichteten sie regelmäßig und sogar mit dem ungewohnten guten Gefühl, die Wahrheit zu sprechen, den jeweils anderen als den Radikalsten und zugleich Einflußreichsten im Kreis – Meldungen, die der Chef stets händereibend zur Kenntnis nahm. Im übrigen aber erfanden sie, vor allem wohl, um ihren gut bezahlten, bequemen und eigentlich nur aus ununterbrochenem Palaver bestehenden Job niemals zu verlieren, die phantastischsten und für den Fortbestand des Staates gefährlichsten Fakten und Projekte. So war zum Beispiel die Zahl der »offenbar glänzend versteckten«, natürlich überhaupt nicht existierenden Waffen (denn keiner der Parteigreise hätte auch nur gewußt, wie er eine Pistole in die Hand nehmen solle) »unübersehbar« – kurz: ihre Berichte jagten dem Geheimdienstchef einen solchen Schrecken ein, daß er beschloß, alle zehn oder vierzehn Tage weitere Agenten als »Mitglieder« in die Partei abzukommandieren, Männer, die natürlich ebensowenig einander kannten, wie die ersten zwei einander gekannt hatten, so daß alle, eben auch die falschen Mitglieder, alle anderen Mitglieder für echte hielten. In der Partei aber herrschte natürlich eitel Freude, an der auch die unechten leidenschaftlich teilnahmen. Noch niemals, so jubelten sie, war es so offenbar gewesen, daß sich ihre langjährige Geduld auszahlte und daß sie dem Tage des großen Umschwungs in Eilmärschen entgegenzogen. Dieser Erfolg war um so erfreulicher, um nicht zu sagen: um so notwendiger, als sich die Reihen der Parteigründer bereits lichteten und die Übriggebliebenen sich in steigendem Maße Nachfolgesorgen machten.

Nun schien die Gefahr des Aussterbens gebannt, eine neue, aufs tiefste mit dem Lande vertraute Generation von Usaliern rückte nach, und diese arbeiteten in der Tat so effizient, daß die letzten paar Gründungsväter es für erlaubt hielten, sich beschaulich und bescheiden in den Hintergrund zurückzuziehen. Große Meetings mit Rezitatoren und Posaunenchören wurden aufgezogen, und die in diesen Veranstaltungen geleistete Missionsarbeit war so erfolgreich, daß die Zahl der Überzeugten, der »Echten«, nun wieder anschwoll. Natürlich wurden die Aktivitäten dieser Neophyten, die auf die Predigten der Nichtglaubenden mit Glauben reagierten, vom Augenblick ihres Partei-Eintritts an genauestens weiterbeobachtet und registriert. Um über die eines Tages vielleicht aufmüpfigen Elemente innerhalb der Bevölkerung einen Überblick zu gewinnen, hätte eine bessere Methode gar nicht erfunden werden können, und es ist nicht übertrieben zu behaupten, daß die Partei bereits eine Zweigstelle des Geheimdienstes geworden war, oder genauer: daß sich, mit Ausnahme der Agenten, alle Mitglieder auf dem Präsentierteller möglicher Arretierung befanden. Wahrhaftig, die treuherzigen oder empörten Klagen loyaler Bürger darüber, daß eine solche umstürzlerische Partei überhaupt zugelassen sei, waren lächerlich und bewiesen nur deren totale Ignoranz.

So also stand es vor fünfundzwanzig Jahren, zur Zeit meines Aufenthaltes in Usalien.

Soeben erfahre ich nun durch einen Brief, daß, obwohl (oder soll ich sagen: »da«) die Gründergeneration nun längst schon restlos ausgestorben ist, die famose Maschine auch heute noch funktioniert. Aber was heißt »noch«? Nun erst, fünfzig Jahre nach ihrer Gründung, hat sie ein wirklich unübersehbares Volumen angenommen. Geführt und finanziert von ihren Feinden, läuft sie mit vollerem Schwunge als zu meiner Zeit, von den kümmerlichen Jahren ihrer Anfänge ganz zu schweigen. Die im Schoße der Partei geführten Diskussionen sind offenbar höchst lebendig, in der parteieigenen Zeitschrift veröffentlichen Universitätsprofessoren ihre, sie diskriminierenden, Argumente, eine »Geschichte der Partei«, natürlich verfaßt von einem Gremium von Agenten und fast ausschließlich über deren verdienstvolle Tätigkeiten berichtend, ist soeben herausgekommen und wird selbst in bürgerlichen Großzeitungen sachverständig und ausführlich kommentiert. Zuweilen gehen mysteriöse Bomben hoch, sogar vor dem Gebäude des Geheimdienstes – woraufhin dann die Parteilokale von den Komplizen derer, die die Partei führen, durchgekämmt werden, natürlich, da die Weiterexistenz der Partei für den Geheimdienst unverzichtbar bleibt, »unverzichtbarer« als irgendeine andere Institution im Staate, vergeblich.

Freilich sollen ziemlich viele neue Parteimitglieder, also echte Usalier, in den letzten Jahren arretiert worden und einige sogar auf Nimmerwiedersehen verschwunden, wahrscheinlich umgelegt worden sein – was gewöhnlich mit »interner Fehde« erklärt wurde, eine Version, die, da es ja wirklich »Echte« und »Unechte« gibt, ein Körnchen Wahrheit in sich bergen mag. Und wenn es zuweilen auch einen der vielen »Unechten« getroffen hat, so ist das völlig begreiflich, weil sich der Geheimdienst natürlich davor hüten muß, seine eigenen Leute dadurch, daß ihnen niemals etwas zustößt, in Verdacht zu bringen. Diese Opfer werden dann, obwohl für die Sache des Geheimdienstes, also des Vaterlandes, gefallen, von der Partei pompös beerdigt und als Helden gefeiert, während deren Hinterbliebene, angeblich von der Partei, in Wahrheit aber von der öffentlichen Hand, unterstützt werden. Einer der erschlagen Aufgefundenen aber soll ein Mann gewesen sein, der, schon früh eingeschleust in die Partei, trotz starken Bemühens die Kraft nicht hatte aufbringen können, Tag für Tag den ihm aufgetragenen Betrug durchzuhalten und der allmählich, seine Verräterrolle verratend, zum echten Mitglied der surischen Glaubensgemeinschaft geworden war. Ob er als Linientreuer sehr viel liebenswerter war, denn als Agent, das lassen wir dahingestellt. Und das »Ehre seinem Angedenken!« wagen wir nur flüsternd über die Lippen zu bringen.

Die Hohloten

Die Hohloten sind Turner im Gerüst der Theorien.
Mit schnellen, geschickten Griffen packen sie zu,
fast automatisch ergreifen sie die Thesen
und schwingen sich daran durch die Diskussionen.
Sie diskutieren immer;
mit bezwingender Eloquenz
und einer Sprechgeschwindigkeit,
die von der Angst getrieben wird,
sie könnten abstürzen im Schweigen.

RALF THENIOR

Wolf Biermann *Lied vom Roten Stein der Weisen*

Den Roten Stein der Weisen, gib zu!
Den gibts doch nicht. Genosse, auch du
Den gibt es doch nicht, Genosse, auch du
  du hast ihn nicht gefunden.

Wir haben wie blödes Federvieh
Mit rotem Kamm und Kikerikii
Zum Gaudi für die Bourgeoisie
  uns oft genug zerschunden.

Der Kampf ist hart, und unser Feind
Ist schlau und hat sich längst vereint
Ist schlauer als wir! und hat sich vereint
  und will uns einzeln schlagen.

Genossen! fragt nicht penetrant
Wie in dem Märchen hirnverbrannt:
Wer ist der Linkste im ganzen Land?
  – das kann kein Spiegel sagen.

Der Dichter, wohin er auch überall kommt, er ist dem Hohn und der Verun-
glimpfung, der Zurechtweisung und der Zusammenstauchung ausgesetzt, wer
weiß, ob sich die Germanisten um diese Zusammenhänge von wörtlichen und
leiblichen Zusammenstauchungen kümmern.
Sie rupfen mit dem Luftkutscher ein Hühnchen und reden mit ihm Fraktur, sie
waschen ihm den Kopf und drehen ihn durch die Mangel, sie blasen ihm den
Marsch und möchten ihn am liebsten auf Vordermann bringen. »Keinen Voll-
treffer gelandet«, sagt das Fräulein Ute aus Döhlau, »zum Abschuß freigege-
ben«, sagt Professor Gajek aus Regensburg, das ist die Sprache der deutschen
Literaturfreunde. »Welche Zielgruppe haben Sie vor Augen?« fragen die Studenten den Dichter, der sich am Ende so vorkommt, als müsse er mit seinen Wörtern
auf Menschenköpfe feuern.

LUDWIG HARIG

Adolf Muschg *Eine Frage nach Deutschland*

Wir wollen dazugehören – zu einem System, das uns unsern Wert bestätigt, aber auch zu einem Verband, der uns Wärme gibt. Dieses Bedürfnis ist so elementar, daß wir es gern für widerspruchsfrei halten und auf Stimmen hereinfallen, die es uns einfach machen wollen: die uns, zum Beispiel, das Vaterland als Heimat anbieten, oder, auf der anderen Seite, die Familie als Ehrensache. Der Staat braucht uns nicht glücklich zu machen; es genügt, wenn die Gewalt, die er nötig hat, demokratisch legitimiert ist. Zu Hause aber sollten wir gar keine Gewalt nötig haben und uns keine antun. Diesen Unterschied hatte ein deutscher Bundespräsident – nicht der scheidende – im Auge, als er auf die Frage, ob er den Staat liebe, zur Antwort gab: Ich liebe meine Frau. Da trennt einer, was des Kaisers ist, mit protestantischer Deutlichkeit von dem, was Gottes und des Herzens ist. Was Leute wie Heinemann nicht gehindert hat, dem Staat zu dienen, als liebten sie ihn; was sie ganz sicher daran hindern würde, dem Staat ihre Überzeugung, oder auch nur: ihr persönliches Gefühl zu opfern.

So weit, so liberal. Aber was ist mit der Nation, einer Größe, die zwischen Staat und Familie verfänglich schillert, die das Herz ebenso beansprucht wie den Verstand; die Identität verspricht und dafür Identifikation verlangt? Seit der Französischen Revolution, die dem Nationalgefühl einen geschichtlich neuen Sinn gab, tendiert es auf Einheit und Unteilbarkeit – was ist damit am 17. Juni z. B., dem Tag der deutschen Einheit, anzufangen? Dem Bundesbürger müßte es genügen, in einem Staat zu leben, den er mit klarem Kopf vertreten kann; einem Staat, der sich durch die Institutionalisierung der Menschenwürde selbst rechtfertigt. Nehmen wir an, die Bundesrepublik wäre ein solcher Staat: genügt das zur Zugehörigkeit? Würde es genügen, so müßte dieser Staat, fürchte ich, die Loyalität seiner Bürger nicht so heftig beschwören; müßte er die Verfassungstreue nicht so groß schreiben, daß sie einem Glaubensartikel gleichkommt und in der Praxis als Inquisitionsartikel wirkt. Staatstreue dürfte in einem Staat, der seiner Identität sicher wäre, kein so verzweifeltes Gebot sein.

Die Bundesrepublik, ein ehrenwerter Staat, ist keine Nation; er hat seine Unvollständigkeit selber feierlich verbrieft, in jenem Grundgesetz, für das er so vollständigen Respekt verlangt, die Loyalität des hintersten Bürgers. Loyalität wozu nun eigentlich? Zur deutschen Einheit, zur Unteilbarkeit der Nation? Zweimal hat Westdeutschland, aus guten und sehr verschiedenen Gründen, diese Einheit zurückgestellt: unter Adenauer hinter das atlantische Bündnis; unter Willy Brandt hinter die Anerkennung der Realitäten in Osteuropa. Danach dürfte kein realistischer – und das heißt: friedlicher – Weg zurückführen in die Einheit der deutschen Nation. Er dürfte nicht – die Frage ist nur: tut er's doch?

Tatsache ist, daß gerade unter den einst »vaterlandslos« genannten Sozialdemokraten die deutsche Einheit mehr geblieben ist als ein Hirngespinst; daß diese Erbschaft Kurt Schumachers, so behutsam sie sich äußern mag, so frei sie sich wissen will von jederlei Annexionismus, eine auf die Phantasie wieder stärker wirkende Substanz enthält. Tatsache ist *noch* nicht, könnte aber werden, daß die deutsche Sozialdemokratie zum Schoß eines neuen National-Gefühls wird, aus dessen Quelle sie kommende Wahlkämpfe bestreitet; und bei aller Mühe, die trüben von den legitimen Quellen zu sondern, werden Emotionen, auch heftige, nicht auszuschließen sein. Tatsache ist, daß der zweite deutsche Staat, die DDR, nicht in seinen offiziellen, aber um so mehr in seinen kulturellen Äußerungen diesem Nationalgefühl kräftige Nahrung gibt und, wenn nicht alles täuscht, noch mehr geben wird. Wie es ja zu den Paradoxen deutsch-deutscher Politik gehört, daß sie, auch in den Zeiten gänzlicher Feind-Fixierung, für fremde Augen ungeheuer deutsche Politik, gleichsam Innenpolitik im Exzeß geblieben ist. Je doktrinärer die Einheit bestritten wurde, desto mehr durfte sie als emotionale Größe vermutet werden, drüben noch unvergleichlich mehr als hüben: da war immer mehr dabei als der gierige Empfang westlicher Sender. Es soll nicht vergessen sein, daß der 17. Juni sich einem östlichen Ereignis verdankt, und es darf auffallen, wie lebendig die Teilnahme an gesamtdeutschen Reflexen in Geschichte und Gegenwart unter DDR-Bürgern geblieben ist – beschämend lebendig, wenn man die westdeutsche Selbstgenügsamkeit, an ihrer eigenen Wiedervereinigungsrhetorik gemessen, daneben hält. Hierzulande ist der 17. Juni einfach ein arbeitsfreier Tag geworden; die Opfer, deren man noch hie und da gedenkt, sind die der andern.

Dennoch oder deshalb geht das Gespenst der deutschen Einheit heute wieder leibhaftiger um als in vielen Jahren – nicht überraschend für Russen und Franzosen, überraschend, so scheint es, am meisten für die beteiligten Deutschen. Es überrascht die Bundesdeutschen selbst, daß ihr westeuropäisches Wohlverhalten, ihre NATO- und Verfassungs-Treue noch Wünsche übriglassen; Wünsche, von deren Gefährlichkeit sie, mit Gründen, durchdrungen waren, deren Äußerung man sich also, bis auf einige offizielle Rhetorik, abzugewöhnen suchte. Plötzlich soll der staatliche Erfolg kein Ersatz mehr sein für die deutsche Nation?

»Zur Nation euch zu bilden, ihr hofft es, Deutsche, vergebens; / Bildet dafür, ihr könnt's, freier zu Menschen euch aus.« Schillers Xenion verwies, angesichts der Französischen Revolution, den deutschen National-, und das hieß damals auch: Bürger-Staat ins Reich des unerreichbaren Ideals – und tat schon wenige Jahre später den deutschen Patrioten unrecht damit, die sich ihren Volksstaat gegen Napoleon zu erobern hofften und an ihren eigenen Fürsten, wohl auch an ihrem Akademismus, am Mangel an historisch-politischer Erfahrung scheiterten. 1848 wurde das Datum der Niederlage für deutsche Bürgerfreiheit; die deutsche Reichseinheit, 1871, kam ohne sie aus. Und als 1918 Einheit und Freiheit zusammenkamen, geschah es im Zeichen des Zusammenbruchs, das die Besiegten hinderte, die Gabe der Stunde aufzuheben und als eigene Chance zu nützen; unter Hitler tauschte man die ungeliebte Freiheit wieder gegen eine in jeder Hinsicht furchterregende Einheit ein. Kein Wunder, daß nach 1945 Freiheit, wo sie noch möglich schien, wieder vor Einheit ging – diesmal war's ein Diktat nicht nur der Siegermächte, sondern auch des eigenen politischen Gewissens. Wo, wenn nicht aus den Sternen, oder aus Abgründen der Unbelehrbarkeit, sollte im 30. Jahr des erfolgreichen Teilstaates Bundesrepublik wieder ein unbefangenes, ein unverfängliches deutsches, und das heißt ja wohl: gesamtdeutsches Nationalgefühl herkommen?

Tatsache ist: es ist da; zu befürchten ist: es läßt sich mißbrauchen; ich wage die Vermutung: es ist unentbehrlich. Unvermeidlich, weil nationale Zusammengehörigkeit auch durch ihren Mißbrauch nicht zum Mythos wird, sondern eine Realität bleibt; man kann sie nur verdrängen, oder mit ihr leben. Man wird, wenn man sie als Bedürfnis akzeptiert, sehr unbequem und angefochten mit ihr leben; aber wer daran glaubt, daß das Leben der Probleme ihrem Einfrieren allemal vorzuziehen sei, wird vor einem neu geprüften deutschen Nationalgefühl nicht die Augen bedecken; er wird es zur Kenntnis nehmen als eine Sache, die von Hitler nicht auf immer kompromittiert, von der Rechten nicht monopolisiert werden darf. Die Bundesrepublik für das letzte Wort der deutschen Geschichte zu halten, wäre ein Hohn auf diese Geschichte und auf die Citoyens der Vergangenheit, die für Freiheit *und* Einheit ihr Leben gewagt haben: Deutschland ist nicht nur ein Territorium, sondern auch eine Größe der Geschichte. Was etwas anderes ist als: geschichtliche Größe. Die mag und muß ein für allemal abgedankt bleiben. Es muß dafür gesorgt sein, daß das deutsche Nationalempfinden niemals mehr von ängstlicher und mörderischer Exklusivität sein wird; aber als Gefühl der Selbsterfahrung und Selbstverpflichtung darf es nicht mehr verboten und verbogen sein. Es wäre ein Unding, die französische, schweizerische, polnische, georgische, israelische Nation als Quellen der Identität anzuerkennen und nur die deutsche zu verleugnen. Erst als verleugnete gerät sie auf die dunklen Wege des nationalen Wahns.

Ob die deutsche Einheit zu »haben« ist, darf freilich noch die Frage nicht sein. Aber es soll auch keine Frage sein, daß Deutschland als Nation im Gefühl aller, die an seiner Spaltung leiden, eine mögliche Einheit zu sein fortfährt; eine Einheit, an deren Möglichkeit gearbeitet werden muß. Damit diese Arbeit aber dem ähnlich sei, was beim Individuum Trauerarbeit heißt, will sagen: eine Bürgschaft gegen neurotische Entwicklungen, ist es sogar zu wünschen, daß das Leiden an der Zerrissenheit größer, und nicht etwa geringer werde. Ein die Zusammengehörigkeit bedenkendes, also durchaus nationales Leiden an Deutschland, wach genug, um für einen Klang wie »Deutschland, erwache« unberührbar zu sein; um so empfindlicher aber gegen die künstliche Taubheit, die genügsame Erstarrung in der Partikularität.

Niemand wird den Deutschen den Beweis dafür abnehmen können, daß ihr nationales Leid kein Phantomschmerz ist; aber auch niemand wird ihnen ihre Selbstamputation danken. Die Nachbarn mögen sich kein großes und mächtiges Deutschland wünschen. Aber mit einem realen werden sie leben können – vorausgesetzt, die Deutschen können es mit sich selbst.

Günter Herburger   *Platons Verdacht*

Ein gebratenes Schwein blickt uns an,
Kopf und Rumpf getrennt
auf dem Tisch des Marktplatzes liegend.
Die Klauen geschwollen vom Dampf
und wie Hände gefaltet.
Die Schwarte umschnürt, damit sie
in der Hitze nicht platzte.
Die Ohren gespitzt, die Augen verdreht,
verloren im Ofen schlohweiß.

Mit Gabeln und Löffeln
holen wir aus dem Innern des Tiers
die süße Fälschung der Füllung,
bevor wir uns an das Fleisch wagen,
dessen Festigkeit Mühe bereitet,
was uns Stolz verleiht.
Den Jägern angehörend,
wollen wir die Fesseln des Tods
noch immer sprengen.

Köstlich der Aufschub
im Einklang mit der Gärung,
die in diesem Gebirge bebt,
als sei der Garten,
den wir Eden nennen,
eine Steigerung,
die bestünde.

Die Ösen und Schließen
sie schnappen zu,
während das begnadete Schwein
sich im Gedärm
der Heroinnen und Helden verliert,
die sich in die Betten fallen lassen,
wo die mühselige Vernunft
ihre Arbeit fortführt,
Beine und Arme ausbreitend,

als sei der Schrecken nur ein Stoß,
ins Geschlecht oder Vergessen,
siebenmal wiederkehrend,
was heißt:

Gott ist ein **Name**,
überall.
Geschichte bringen wir dar,
nicht er.
Die Girlanden sind einmalig.
Lobgesang gleicht allen Erfindungen.
Zweifel werden zu Entscheidungen,
immer mehr.
Die Rücken im Wasser glänzen.
Auf den Höckern im Meer
pflanzen wir Kakteen an.

Das Muttergrab

Jeden Montag, in aller Frühe, wenn die arbeitende Bevölkerung meiner Heimat in die Berufe getrieben wird, begebe ich mich an das Grab der Mutter. Erst zerbreche ich mir den Kopf darüber, warum ich das tue, dann breche ich mir, der ich vor dem Grab knie, die Beine, damit ich nicht mehr weggehen kann. Und wie ich den Grabstein umarme, breche ich mir den rechten Arm. Den linken und die daran befindliche Hand brauche ich noch, um die vielen Flaschen leeren zu können, die ich an das Grab geschleppt habe. Gegen Abend sind sie alle leer, der Schnaps läuft aus den Poren und sickert in die Erde. Der Grabhügel wird brüchig, dann weich, die Erde sinkt, mich mitreißend, hinab und nun liege ich in dem verwesenden Leib. Den Rest der Woche verbringe ich damit, mich herauszuarbeiten. Montags bin ich wieder zur Stelle.

PETER FISCHER

Wolfgang Hermann Körner
Zwei Geschichten aus Ägypten

Angenommen die Kamelkarawane, die gerade am Horizont von Baharija auftaucht, beförderte, schwer ihre Spur durch den Sand pflügend, Sand. Dann würdest du, der du ein Ungläubiger bist, sagen: das kann nicht sein, das ist nicht wahr. Ich aber würde dir antworten: da die Tatsachen mit der Erfahrung in Widerspruch geraten, ist deine Theorie der Wüste als Ganzes in ihrer bisherigen Form absurd. Nun gut, wir warteten, bis die Karawane bei uns hielt. Wir wählten ein Kamel aus und hießen es niederzuknien. Dann öffneten wir die Säcke. Alle enthielten Sand. In diesem rigorosen Sinne, sagtest du, ist überhaupt keine Theorie als vollständig richtig anzusehen. Zu einer Theorie gehört immer die Angabe der Bedingungen, unter denen sie gelten soll, dozierte ich. Auf ein Zeichen von mir traten die Treiber zu ihren Kamelen und entleerten die in vielen Tagesmärschen herbeigeschleppten Sandsäcke in den Sand. Wir lieben eben das rieselnde Geräusch, hier, sagte ich, entsteht ein Modell.

Ich, der Pharao, schleiche im Morgengrauen, wenn die Nebelschwaden über dem Nil das westliche Gebirge noch verhüllen, durch die Straßen Tell-Amarnas und lege Lehmtafeln vor den Hauseingängen nieder. Sie tragen die Inschrift »Stürzt den Pharao!« Als ich vormittags auf den Balkon trat, erblickte ich eine riesige Menschenmenge, über der die Spruchbänder wogten. Stürzt den Pharao! hieß es überall. Ich war sehr gerührt, hob die Hand und rief in die Stille hinein, daß ich mich nun vom Balkon stürzen werde, denn nur der Wille des Volkes zähle. Ein unbeschreiblicher Jubel brach los. Ich stieg auf die Brüstung und stieß mich ab. Doch die starken Arme der unten postierten Wächter fingen mich auf. Die Menge merkte den Schwindel nicht und deutete die Tatsache, daß ich unverletzt blieb, als Beweis meiner göttlichen Herkunft. Die Menschen warfen sich auf die Knie und gelobten mir ewige Treue. Klar?

Ilse Aichinger *Findelkind*

Dem Schnee untergeschoben,
den Engeln nicht genannt,
kein Erz, kein Schutz,
den Feen nicht vorgewiesen,
in Höhlen nur verborgen
und ihre Zeichen behende
aus den Waldkarten geschafft.
Ein toller Fuchs
beißt es und wärmts,
erweist ihm rasch die ersten Zärtlichkeiten,
bis er sich zitternd und gepeinigt
zum Sterben fortbegibt.
Wer hilft dem Kind?
Die Mütter
mit ihrer alten Angst,
die Jäger
mit den verfälschten Kartenbildern,
die Engel
mit den warmen Flügelfedern,
aber ohne Auftrag?
Kein Laut,
kein Schwingen in der Luft,
kein Tappen auf dem Boden.
Dann komm doch du noch einmal,
alter, toller Helfer,
schleif dich zurück zu ihm,
beiß es, verkratz es,
wärm es, wenn deine Räubertatzen noch warm sind,
denn außer dir kommt keiner,
sei gewiß.

Christoph Meckel   *Es ist der Wind . . .*

Es ist der Wind auf den Brücken, der Qualm und die Kälte.
Es ist die Tiefe des Wassers, es ist die Dämmrung
die einreißt den Himmel und wegsinkt in Eisnacht
November und rußigen Regen. Es ist der frühe
Abend des Winters, es ist das Alleinsein mit fiebernden
Augen und lockeren Knochen, es sind die Bars und es ist
der Kognakrausch, das Schweigen, und Babylons Leute
es ist das Sägmehl auf dem Boden der Bar, der Spucknapf
und das Blut im Spucknapf, es ist das Blut im Sägmehl
auf dem Boden der Bar, es ist der Schlagring, es ist
das Gelächter von Babylons Leuten, das Geld, und der Hunger.
Es sind die Städte in öligen Flüssen, es ist
der Vogelflug über den Brücken, der Qualm, die Windnacht
und Wintergewitter vierteilend den Himmel, es ist
ein Hunger zu viel und ein Obdach zu wenig, ein Leben
zu viel und ein Leben zu wenig, es ist die Kälte
der dröhnende Limbo, ein Sterben zu viel und ein Sterben
zu wenig; es sind die Toten, die das Gedächtnis
aufnahm für eine Zeit, und es sind die Toten
die das Vergessen aufnahm für immer. Es ist
die Zeit und die Zeit danach und der Jubel am Ende
der lange Abschied, der Schlaf, und die tiefe Ruhe
Zorn über so viel und so wenig, und ist sein Leben.

Katja Behrens *Liebe*

Ich wollte das nicht. Ich begreife nicht, wie es so weit kommen konnte. Es war nur ein Blick. Es fing damit an, daß er mich ansah, nicht flüchtig und auch nicht neugierig. Er sah mich an, wie mich seit Jahren kein Mann mehr angesehen hatte. Ich hatte die Fenster offengelassen, und er war einfach eingestiegen.

Ich war aufgewacht, im dunklen Zimmer, aus einem Traum heraus, dachte, in meinem Traum ist etwas herumgetappt, aber ich hörte immer noch eine leise Bewegung im Haus, wollte nicht glauben, daß da jemand ist, nach all den Jahren, in denen nie etwas war, wollte weiterschlafen und stand doch auf, ohne Licht zu machen, ging barfuß die Treppe hinunter.

Unten im Flur tastete ich nach dem Lichtschalter. Auf einmal war es hell, und in der Wohnzimmertür stand ein Mann, stand da und blinzelte ins Licht. Ich wollte schreien. Da sah ich, daß er sehr jung war, und hatte keine Angst mehr, ging auf ihn zu, redete, ich weiß nicht mehr was, irgend etwas. Er rührte sich nicht und sagte nichts, schaute mich mißtrauisch an, und als ich vor ihm stand, packte er mich hart am Arm. Sein Mund zuckte, und ich wußte, eine falsche Bewegung, und er schlägt zu, aber sein Blick hatte nichts Gewalttätiges, eher etwas Fragendes. Und etwas Erstauntes.

– Ich koche Tee, sagte ich, und er ließ los und steckte die Hand in die Hosentasche, und ich drehte mich um, spürte meinen Rücken, den Nacken, den Hinterkopf, wenn er ein Messer, wenn er in den Rücken hinein. Ich ging zur Küche, sah mich, wie er mich von hinten sah, im Nachthemd, barfuß, mit plattgedrückten Haaren. Er folgte zögernd und blieb dann stehen, mitten im Raum.

– Setzen Sie sich, sagte ich, während ich den Küchenschrank öffnete und die Teedose herausholte und Tassen bereitstellte, und noch einmal – Setzen Sie sich, weil er sich nicht rührte. Ich zog einen der immer leeren Stühle vom Tisch weg, sah aus den Augenwinkeln, wie er sich mürrisch, verlegen auf die Stuhlkante setzte, und hantierte belustigt in der Küche, als plötzlich das Geschirr vom Tisch flog und in der nächtlichen Stille auf dem Boden zerschellte. Ich bückte mich und sammelte die Scherben auf, eine nach der anderen, und versuchte, mich an die Nummer des Überfallkommandos zu erinnern und dachte, die spitzen Scherben in

der Hand und einen Henkel am kleinen Finger, ich sollte fort-
laufen, aus dem Haus, zu den Nachbarn, trug die Scherben zum
Mülleimer, ohne ihn anzuschauen, und stellte zwei neue Tassen
auf den Tisch und sagte: Bitte, ich habe nicht so viel Geschirr,
und goß das kochende Wasser über den Tee, während er mit vor
der Brust verschränkten Armen zusah.

Wenn ich auch den Augenblick nicht wiederfinde, wo ich nicht
mehr zurückkonnte, so weiß ich doch genau, wann ich seine Stimme zum ersten Mal hörte und was er sagte. Er sagte, er sagte es
sachlich: Glauben Sie nur ja nicht, Sie können die Polizei rufen.
Und ich hatte mich so weit erholt, daß ich erstaunt fragen konnte:
Warum sollte ich die Polizei rufen?

Bis dahin ist mir alles klar. Ein Dieb war in mein Haus einge-
drungen, er war jung, und ich hielt ihn mit der Gelassenheit
meines Alters in Schach. Plötzlich war es so still in der Küche,
daß das leise Rauschen der Autobahn von fern her zu hören war.
Beide sahen wir schweigend in unsere Tassen hinein. Ich spürte
noch den Druck seiner Hand auf meinem Arm, das ungekämmte
Haar, das unansehnliche Nachthemd machten mich verlegen, die
Sicherheit verging mir, ich wagte nicht mehr aufzublicken, ihn
anzusehen, spürte, wie mein Mund trocken wurde und sah dann
doch auf, direkt in seine Augen, die mich anschauten, als sähe er
mich jetzt zum ersten Mal, mit einer Zärtlichkeit, deren ich mich
nicht erwehren konnte. Ich vergaß, wie er gekommen war, sein
Hemd stand offen, und draußen wurde es hell, der erste Vogel
fing an zu singen.

Als er mich fragte, ob ich allein lebe, hätte ich sagen sollen, nein,
oben schläft mein Mann, und ich wäre in Sicherheit gewesen. Er
hätte seinen Tee ausgetrunken und wäre gegangen. Ich hätte die
Haustür für ihn aufgeschlossen und mich von ihm verabschiedet
wie von irgend einem Besucher, und dann hätte ich den Schlüssel
zweimal herumgedreht und die Fenster im Wohnzimmer geschlossen, und vielleicht hätte ich sogar die Polizei angerufen. Aber ich
nickte, ohne ihn anzusehen, wußte, daß ich jetzt aufstehen und
ins Bad gehen konnte, um mir die Haare zu kämmen, dachte in
den Spiegel hinein, du bist verrückt, hättest du, warum hast du
nicht, hatte es eilig, wieder in die Küche zu kommen. Du mußt
ihm jetzt sagen, daß er gehen soll.

Als ich zurückkam, war er aufgestanden, hatte die Arme wieder
vor der Brust verschränkt, und ich dachte, du brauchst es ihm gar
nicht zu sagen, wagte nicht zu fragen, ob er noch Tee wolle, die

Nachbarn würden bald aufstehen, es war gut, wenn er jetzt, solange ihn niemand. Aber er ging nicht, schaute aus dem Fenster in den dämmernden Morgen hinaus, drehte sich dann zu mir um, und ich vergaß die Nachbarn und ließ zu, daß er mich an sich zog, spürte seinen jugendlichen Körper, mitten in der Küche, mitten zwischen den weißen Küchenmöbeln war ich einen Augenblick lang klein und geborgen. Aber dann sah ich zu ihm auf ins Licht der Küchenlampe, und die Falten in meinem Gesicht fielen mir ein, während er mich küßte mit Lippen, die behutsam waren wie ein Tiermaul. Ich weiß noch, daß ich glaubte, er würde gehen, als er unvermittelt, fast grob, losließ, aber er ging nicht, sah auf einmal hilflos aus, daß ich ihm übers Haar strich, die schwarzen Haare aus der Stirn, mich wieder hinsetzte, Tee einschenkte, in der Verwirrung.

An den schrecklichen Nachmittag, als er gegangen war, mit einer kurzen Umarmung in der offenen Haustür, erinnere ich mich genau. Ich hatte geglaubt, ruhiger geworden zu sein in den letzten Jahren, war mir meiner so sicher gewesen. Aber schon als ich die Küche aufräumte, spürte ich die ersten Anzeichen. Das Haus war leer wie lange nicht mehr. Ich setzte mich an den Tisch und rauchte, eine Zigarette und noch eine, alles stand reglos. Es regnete. Nur diese rinnenden Tropfen an den Fensterscheiben, der Himmel grau, der Garten trostlos. Ich verkroch mich ins Bett und versuchte zu schlafen. Warum hast du, könnte dein Sohn, mein Sohn könnte das sein. Seine Hände, so schmal und kräftig. Ich stand auf und zog das Bett ab. Der Geruch blieb. Und die Scham. Nicht mehr dran denken, kann es vergessen, nicht ans Telefon, ihn nie wiedersehen. Und als ich es an den folgenden Tagen tatsächlich über mich brachte, das Telefon klingeln zu lassen, dachte ich, du hast doch gelernt. Bloß hatte ich zu nichts Lust, trieb mich in der Wohnung herum, hockte am Küchentisch und rauchte, lag im Bett und rauchte, und manchmal erinnerte ich mich, wie er den Arm ausgestreckt hatte, damit ich mich in die Armbeuge legen konnte, der beißende Geruch seiner warmen, schweißfeuchten Schulter.

Wäre ich doch nicht schwach geworden. Aber das Haus war zum Verrücktwerden leer. Wenn ich eine Platte auflegte, machte die Musik mich nervös, und wenn ich sie abstellte, machte die Stille mich noch nervöser. Es regnete, es regnete tagelang, und der Himmel war trüb, wie ich in meiner Vernunft. Dann gab ich auf, ich weiß nicht mehr wann, irgendwann ging ich ans Telefon.

Ich hörte kaum, was er sagte, horchte nur auf die Stimme, und es war, als läge ich neben ihm, mit geschlossenen Augen, satt und schwer. Ich antwortete, ohne zu wissen, was und kam erst wieder zu mir, als ich den Hörer aufgelegt und die Einladung angenommen hatte. Und sofort dachte ich, natürlich gehst du nicht hin, auf gar keinen Fall gehst du. Jeder würde sehen, daß wir nicht Mutter und Sohn. Nicht mehr daran denken. Leben wie zuvor.

Und ich ging zur Nachbarin hinüber, eine Lüge bereit, sollte sie mich nach dem jungen Mann fragen, der neulich das Haus verlassen hatte. Nur ein paar Worte, bloß nicht rechtfertigen, und alles beim alten, diese beschämende Geschichte wie nie gewesen.

Ich erinnere mich nicht mehr, warum ich hinging. Ich weiß nur noch, daß ich in der Nacht zuvor, kurz vor dem Einschlafen, einen Augenblick lang den schweren Duft seines verschlafenen Körpers gerochen hatte, am Morgen aber ernüchtert und vollkommen vernünftig aufgewacht war. Wahrscheinlich wurde ich übermütig, weil ich mich so sicher fühlte, und vielleicht dachte ich auch, du kannst den Jungen nicht einfach sitzenlassen. Auf jeden Fall erwischte ich mich dabei, wie ich mich umzog, obwohl ich mich gar nicht entschlossen hatte hinzugehen. Ich weiß noch ganz genau, wie ich im Auto saß, verstimmt, weil ich zu früh war, mich fragte, was tust du hier, mit dem Gedanken spielte, wieder nach Hause zu fahren.

Er sah ganz anders aus, als ich ihn in Erinnerung hatte. Noch jünger, bloß schön, zu schön und viel zu lässig. Ich ging auf seinen Tisch zu und fragte mich, wie ich diesen Abend jemals hinter mich bringen sollte, schämte mich, weil ich gekommen war.

Ich denke nicht gerne daran, wie ich ihn mit weit ausgestreckter Hand begrüßte und, kaum daß ich saß, anfing, in meiner Tasche nach den Zigaretten zu kramen. Er hielt mir sein Päckchen hin und sagte, ich weiß nicht mehr was, weiß nur noch, daß ich erstaunt war, als er mich duzte, daß ich würdig auf meinem Stuhl saß, den Rauch ausblies und verwirrt war, als er mich fragte, was ich essen wolle. Ich starrte auf die Karte, am liebsten hätte ich gar nichts gegessen. Heute weiß ich, daß auch er verlegen war und deshalb redete, während ich ihn ansah und nicht zuhörte. Auf dem Tisch brannte eine Kerze, und ich beobachtete seine Hand, wie sie langsam unter das offene Hemd fuhr, über die Haut strich, zur Schulter hin, auf der Armkugel liegenblieb, dort, wo sie glatt und rund und fest ist, und als ich wieder zuhörte, saß eine alte Frau mit wirrem Haar stocksteif im Bett und kreischte Diebe Mörder, schrie noch, als er sich längst umgedreht hatte, geflüchtet war, zum Fenster hinaus, an der Regenrinne hinunter, über sich dieses gellende Diebe Mörder, und er war schnell, aber nicht zu schnell die Straße hinuntergegangen, hinter sich das allmählich leiser werdende Diebe Mörder. Und er aß und lachte, und ich lachte auch und dachte, mein Gott, hoffentlich hört keiner zu. Er sah mich ein wenig spöttisch an, und nach dem Essen entzündete er zwei Zigaretten, reichte mir eine herüber und berührte dabei ganz leicht meine Hand, und plötzlich grinsten wir beide, grinsten uns an, als hätten wir Kirschen gestohlen und säßen nun hinter einem Mäuerchen versteckt und spuckten die Kerne aus.

Ich erinnere mich daran, daß ich mir eine Zeitlang einredete, muß aufhören, machst dich lächerlich, muß aufhören, brauche einen Mann, einen Mann brauche ich und kein Kind. Wie töricht, mir einzubilden, ich sei entschlossen, fest entschlossen, diese Geschichte zu beenden, ein für allemal, sobald er wieder anruft. Er rief nicht an. Zuerst wurde ich unruhig, dann wütend, und schließlich hatte ich Sehnsucht und wartete und wartete und horchte auf das Telefon, das nicht klingeln wollte, und verfluchte ihn und schlief nicht mehr und dachte, vielleicht haben sie ihn schon, und erschrak, wenn ich Polizei auf der Straße sah. Einmal fuhr am Haus ein Polizeiwagen vorbei, in dem zwei junge Polizisten saßen, die mich unverschämt musterten. Da war ich sicher, daß sie ihn erwischt hatten und wollte es nicht glauben, als er am Tag darauf vor der Tür stand, im Regen, lachend, mit einem tropfenden, duftenden Blumenstrauß.

Ich vergesse nicht, wie er mich in den Regen hinauszog. Die Tropfen fielen uns warm ins Gesicht, und er stellte mir die Bäume im Tannenwäldchen vor, in dem ich sonst immer alleine spazierenging, von Innstetten, sagte er, ein Herr mit Grundsätzen, sterbenslangweilig, und es tropfte von den Zweigen einer ehrwürdigen alten Tanne, der Duft nach Tannennadeln und der Boden weich, und als wir aus dem Wald herauskamen, hatte es aufgehört zu regnen. Die Sonne schien, vor uns das hügelige Land, Weiden, das Gras stand noch nicht hoch, noch frisch das Grün und darunter noch sichtbar die wollüstigen Rundungen der Erde. Wir kletterten über einen Weidezaun und stiegen einen Hügel hinauf, und oben spürte ich das rissige Holz eines Baumstammes im Rücken, an den Baum gepreßt, die kratzende Borke, seinen Körper, die Hände, und ich dachte, dafür bist du zu alt. Wir glitten hinab in das feuchte Gras. Den Himmel sah ich, oben, der nicht mehr grau war. Ich sah in einen kleinen blauen See in den Wolken, und das Gras roch frisch und ein bißchen scharf.

Die Erinnerung kommt und geht. Manchmal, wenn ich an etwas ganz anderes denke, ist sie plötzlich da, und so sehr ich mich auch bemühe, sie abzuschütteln, es ist nichts zu machen. Dann wieder, wenn ich tagelang wie ein Stein bin und lieber den Schmerz ertrüge, entzieht sie sich, ich habe alles vergessen, bin wie eine vernagelte Tür. Wenn ich aber endlich in den Alltag zurückgefunden habe und nichts mehr wissen will, dann liegt dieser Junge auf einmal wieder da und sagt: Ich will nicht funktionieren. Will mich nicht einspannen lassen. Will mich nicht gewöhnen.
Ich fühlte mich überlegen. Wenn alle so denken würden, wenn jeder? Und die Leute, die er bestiehlt, die sollen arbeiten? Habe ich mir damals wirklich eingebildet, ich sei geheilt? Doch, ja, ich dachte, jetzt oder nie, und versuchte, mich von ihm zu trennen. Ich wartete auch nicht, nicht in den ersten Tagen.
Das war eine Zeit, in der jeder mir sagte, ich sähe gut aus, und ich schaute nicht mehr resigniert in den Spiegel, sondern lachte mir zu, als sei etwas hinter der Zeit und meinem Entschluß zurückgeblieben. Und dann merkte ich, daß ich wartete. Ich merkte es daran, wie ich zum Telefon stürzte, wenn es klingelte, wie ich aufhorchte, wenn ein Wagen vor dem Haus parkte. Und als er nach einigen Wochen vor der Tür stand, war er da und das Haus wieder bewohnt. Ich lehnte mich an ihn, sah aus dem Fenster in den verwilderten, sonnenbeschienenen Garten hinaus.
War es dieser Augenblick? Von Zeit zu Zeit irre ich in meinem Gedächtnis umher und suche nach dem einen Augenblick. Sollte ich jemals vor Gericht stehen, werden sie ihn genau bestimmen können. Sobald Sie sich bereit erklärten, den Schmuck. Aber ich glaube nicht, daß es an dem Tag war, an dem er die Ketten und Armbänder brachte und wir uns zum ersten Mal stritten. Er hatte den Schmuck auf den Tisch gelegt und gefragt: Kannst du das eine Weile für mich aufheben? Es ging nicht darum, daß die Sachen gestohlen waren. Darüber war ich zu dieser Zeit schon hinaus. Sondern daß ich dachte, er benutzt mich, mißbrauchen will er mich.
Schweigend kochte ich Tee. Schweigend rauchte er, deckte ich den

Tisch, während er die Arme vor der Brust verschränkt hielt, die Zigarette im Mundwinkel, die Augen zusammengekniffen, um sie vor dem Rauch zu schützen. Ich betrachtete das Muster der Tischdecke, die weißen und blauen Blümchen, umrahmt von weißen und blauen Vierecken, und ein Teefleck, feucht neben seiner Tasse. Als ich aufblickte, sah er verschlossen aus.

– In meinem Keller gibt es ein Loch, sagte ich. Da können wir es verstecken. Und ich nahm eine der Ketten in die Hand und dachte, jetzt hängst du mit drin. Ein paar Tage lang war ich verstört. Aber das gab sich bald. Ich weiß auch genau, wann. Das war, als er mir half, die Reisetasche zu schließen. Ich kann es auch heute noch nicht erklären, dieses Gefühl der Geborgenheit beim Anblick seines Armes. Ich weiß nur, daß ich mich mit dem Schmuck im Keller abfand, als ich ihn meine Tasche tragen sah.

Vielleicht war es während der Reise. Vielleicht schon am ersten Tag, als wir die Schuhe auszogen und über die Felsen kletterten. Er legte den Arm um meine Hüften, und wir wateten ins Wasser. Dann ließ er los, um zu schwimmen. Vielleicht war es der Augenblick, als er lachend aus dem Wasser auftauchte, sich die nassen Haare aus dem Gesicht strich, und das Meer roch nach Salz und Fisch. Oder es war die Nacht am Strand, als wir am Wasser saßen, die Wellen hörten, nur ein dünner Mond, und das immer gleiche Auf und Ab ohne Anfang und ohne Ende. Vielleicht war es aber auch ganz anders, und es erging mir wie dem Reisenden, der in ein Haus kommt, in dem nichts ihm vertraut ist, nicht sein Gastgeber, nicht das Bett, nicht der Geruch seines Zimmers. Und so wie der Reisende, ohne daß es ihm bewußt wird, sich jeden Tag ein bißchen mehr an das fremde Haus gewöhnt, so kann auch er mein Zuhause geworden sein, dieser heftige Mensch, der vor seinen Ängsten davonlief, ihnen entgegenlief, dieser Alltagshasser, der sich verbrauchte in den Sonntagen, die er sich schuf.

Ich war nicht dabei, als sie ihn erwischten. Er wollte nicht, daß ich mitkomme.

– Diesmal nicht. Es ist zu riskant. Das war das letzte, was er gesagt hat. Erst war ich gekränkt, dann war ich wütend, dann fing ich an, mir Sorgen zu machen, und dann war auf einmal das Mißtrauen da. Und wenn er gar nicht, wenn er ein Mädchen kennengelernt hat, ein junges Mädchen, und mit dem Mißtrauen kam die Angst, die Angst, ihn an dieses Mädchen zu verlieren, ein Mädchen mit festen Brüsten und einem noch jungen Körper, und schon fragte ich mich, wie sie heißt und wie lange er sie wohl kannte, schon war ich ganz sicher, daß er mich belogen hatte, sonst hätte er mich ja mitgenommen, und ich dachte nur noch an dieses Mädchen mit dem jungen Gesicht. Ich versuchte, mich damit zu trösten, daß sie vielleicht dumm und gewöhnlich war, und fühlte mich dennoch unterlegen, weil sie ohne Mißtrauen war, ohne Schwermut, dumm aber unverbraucht, und ich konnte es ihm nicht einmal übelnehmen, sie paßte besser zu ihm. Bis zum Morgen lag ich im Bett und wartete, und als es hell wurde und er immer noch nicht gekommen war, stand ich auf und zog mich an. Ich brauchte nicht in den Spiegel zu sehen, um zu wissen, daß ich mein altes Gesicht wiederhatte.

Ich wartete den ganzen Tag. Am Abend hielt ich es nicht mehr aus. Ich suchte in Cafés und Kneipen und Bars, und jedesmal, wenn ich eine Tür öffnete, die Hoffnung, hier wird er sein, und manchmal, wenn ich von ferne einen jungen Mann sah, dachte ich, das ist er. Ich schaute in alle Gesichter hinein und sah keines und dachte, vielleicht liegen sie noch im Bett.

Als ein Polizeiwagen langsam an mir vorbeifuhr, kehrte ich um, nach Hause. Noch im Mantel fing ich an zu trinken. Ich wartete und trank und wartete und horchte. Kurz bevor ich wach wurde, hatte ich einen Augenblick die wahnsinnige Hoffnung, er sei in der Nacht gekommen und liege jetzt neben mir. Ich hielt die Augen noch eine Weile geschlossen, fast glücklich, fast sicher, daß er da war und ich nur den Arm auszustrecken brauchte, um ihn zu berühren. Ich nahm mir vor, ihm keine Vorwürfe zu machen, und obwohl ich genau wußte, daß er nicht da lag, tastete ich das Bett ab.

Ich erinnere mich, daß ich die Zeitung aufschlug und den Satz las: *Er führte ein Leben, das uns allen ins Gesicht schlug.* Ich erinnere mich, daß ich aufstand und die Fenster aufmachte, weit auf.

Lebendiger Beweis

Eigentlich
       hätten sie
  nie Kinder haben wollen
erklären
      Eltern
         Freunden
  in Gegenwart ihrer eigenen   KARIN KIWUS

Ernst Jandl *Zweimal wovon?*

von frauen

nichts können sein besseren einen mann denn onaniste, der lassen
allein denen frauen ihneren stinkenen futten, der lassen ihn
ihneren emanzipationen, ihneren rühren-nicht-an-mich brusten;
der ihneren bauchen keinen einfüllen einen brut, denen der frauen
dann rausscheißen in geburten und sich ankleben mann seinen
                                                                                                   lebenslang
und der roboten für frauen und brut und hören ihnen schreienen: nix
gut du nix gut, und immer dann trockenwischen er den geschwollenen
blauenroten wangen an denen heuligen, denen außen posaunenen
daß es sein einen rechtenlosen verquäligsten unterdrückenen
bis pressen er sein lippen auf den hand denen sauen.

von medizinen

manchen einen der nie haben denken studieren medizinen später
in leben seien wollen einen arzten, damit haben zuentritten zu
denen diversen medizinen, denen fröherlich machenen psikkofar-
maken, auch den des schlafenen machenen barberturatten, und
von denen dann haben ein dosen letaligen für nämlich den selber
sich wegputzen aus denen schmutzenen augen vom beschissenen
welt. aber nicht bevor haben haben allen spaßen nur möglichen
mit opiaten wie morfiummen.

Heute holen wir uns einen
rein zuerst
kriegt er hundertmal geschlagenen
Kartoffelbrei dann baden wir ihn
dann legen wir ihn hin streichen
ihn aus
in alle Ecken
ganz dünn
und dann machen wir auf ihm rum   HANNELIES TASCHAU

Renate Rasp   *Drei Gedichte*

SUFFRAGETTEN
rissen uns ein neues Fenster auf,
und ein frischer Wind
wehte mit den Blättern
in die guten Stuben,
wirbelte den Staub von Büchern,
Sonne schien in Ecken,
die im Dunkeln lagen,
wo ein blasser Schatten
sich erhebt,
eine Frau aufsteht
und das Fenster zumacht.

Besuch beim Zahnarzt

Jeder braucht eine Stellung,
jeder hat seinen Preis.
Statt daß man unsre hübschen jungen Männer
nach Rom gehn läßt,
damit sie daselbst Gigolos werden –
warum kommt denn nicht eine Zahnärztin
mit Sinn fürs allgemeine Wohl
auf die Idee, die jungen Menschen
einzustellen, um so
die Stunden unsrer Qualen zu versüßen
mit einem angenehmen Anblick
und 'ner netten Unterhaltung?
Ja, es stimmt, das Abendland geht unter.
Dagegen läßt sich kaum was tun –
doch hindert sie das etwa,
uns zur Zierde zu gereichen?
Sie können doch
den Augenblick,
zwischen jenem bohrenden Geräusch,
und einem Knacken, wenn die Zange den Zahn gefaßt hat,

mit angenehmen Träumen füllen
von dem Tag,
wo die Titanen wieder
zurück nach Deutschland kommen
und keine Frau mehr ihre Zeit verliert
mit Women's Lib.

Für einen Besucher aus England

Du hast es nie gekannt
das Land,
das heute nur aus seinen
Büchern spricht —
verloren und verschüttet
über Nacht,
und jeder Morgen
bringt nur eine
Schaufel mehr.
So, junges Deutschland,
blick zurück,
vergiß die Zukunft
und die Gegenwart,
denk nach!
Und frag die Schatten
und die Geister,
wie dieses Land
einst war!
So weit entfernt!
So nah!

An einer Brücke

Lang ist des Lebens Langeweile
Kürzer ist des Todes Eile.
Sich die Langeweile kürzen
und ins kalte Wasser stürzen:
Isar, Lech, Iller, Inn
fließen in die Donau rin.

CHRISTA REINIG

76

Helmut Heißenbüttel   *Verschiedene Herbste*

Ottilie Wildermuths Herbst

Ottilie Wildermuth, eine beliebte Verfasserin populärer und erbaulicher Erzählungen, außerdem Redakteur im ersten deutschen Fernsehen, konnte bis zu ihrem fünfzigsten Geburtstag nicht dahinter kommen, ob sie eigentlich Lust oder Angst hatte, mit einem Mann ins Bett zu gehen. Eine mehrfach angefangene und mehrfach unterbrochene Analyse hatte nichts genützt. Kurz nach ihrem fünfzigsten Geburtstag traf sie den Eisernen Heinrich, der bekanntlich einmal im Dienst einer märchenhaften Persönlichkeit gestanden hatte, verliebte sich in ihn und ließ ihn bereits am ersten Abend zu sich ins Bett. Im Gegensatz zu seinem martialischen Namen hatte der Eiserne Heinrich ein niedliches kleines Schwänzchen, das nie ganz steif werden wollte. Ottilie hatte keine Angst davor. Es befriedigte sie ohne Ende.
Mehr ist dazu eigentlich nicht zu sagen.

Generalsherbst 1

Der amerikanische General Eisenhower hatte in seinen späten Jahren als General eine Geliebte, eine Engländerin, die, wie sie jetzt in ihren Memoiren erzählt, zweimal in die Verlegenheit kam, von dem General verführt zu werden. Der General hatte sich jedoch beide Male als impotent erwiesen, was mit seinem Alter und der mangelnden Übung zusammengehangen haben mag. Er selber führte es allerdings auf das schlechte Gewissen zurück, das er gegenüber seiner ihm angetrauten Ehefrau, Mamie, hatte. Um eine Klärung herbeizuführen, fuhr er in die USA zurück. Dort jedoch schaltete sich die Staatsraison ein und untersagte ihm jeden weiteren Verkehr mit der Engländerin. Zum Lohn dafür wurde er später zum Präsidenten der Vereinigten Staaten gewählt.
Mehr läßt sich eigentlich nicht dazu sagen.

Generalsherbst 2

Der General einer anderen Armee in einem anderen Krieg in
einer anderen Zeit in einem anderen Land führte immer eine
Gruppe von leichtlebigen Frauen mit sich, von denen er gern
hatte, wenn sie nicht allzu jung und aus gutem Hause waren. Da
es seinen ethischen Prinzipien widersprach, das selber zu tun, mußten diese vor jeder wichtigen militärischen Entscheidung ihn, bei
geöffneten Hosenbund, sonst der Dienstvorschrift entsprechend
gekleidet, masturbieren. Es war eine Art Omen, an dem er, neben
dem Vergnügen und der Gewohnheit, Erfolg und Nichterfolg ab-
zulesen glaubte. Da er nicht mehr der jüngste war, dauerte die
Veranstaltung manchmal ziemlich lange. Wenn der Erfolg ein-
getreten war, pflegte er auszurufen: immer noch ein Springbrun-
nen. Er erlitt bei einer solchen Operation einen Schlaganfall und
starb während der Überführung ins Lazarett. Im folgenden Morgengrauen wurde die Schlacht, der Krieg, das Land und die Ehre
verloren.
Mehr ist dazu eigentlich gar nicht zu sagen.

Bürosexherbst 1

Ein Kollege von mir, gut, wie man sagt, verheiratet, ein vorbildlicher Vater, Antialkoholiker, Nichtraucher, korrekt gekleidet, gewissenhaft, fleißig, bescheiden, wollte einmal, merkwürdigerweise,
dahinter kommen, was es mit dem Sex im Büro auf sich hat. Als
es ihm, nicht ohne Mühe, aber auch ohne daß er etwas Sensatio-
nelles dabei fühlte, gelungen war, seine Sekretärin zu verführen,
hatte er sie auch schon geschwängert. Die Sekretärin verlangte,
daß er sich scheiden ließ und sie heiratete. Schweren Herzens
und nicht ohne Schwierigkeiten mit seiner ersten Frau zu haben,
tat er ihr den Willen. Es wurmte ihn jedoch, daß er nicht dahinter gekommen war, und er versuchte es noch einmal. Nach dem
dreizehnten Versuch, er war inzwischen Vater von fünfundzwanzig Kindern geworden und stand kurz vor der Pensionierung,
brannte er mit einem älteren Ballettänzer durch.
Mehr kann ich dazu eigentlich nicht sagen.

Bürosexherbst 2

Ein anderer Kollege von mir, ebenfalls gut, wie man sagt, verheiratet, vorbildlicher Vater, Antialkoholiker, Nichtraucher, korrekt gekleidet, gewissenhaft, fleißig, bescheiden usw., wurde, obwohl er sich keineswegs für Sex im Büro interessierte, unfreiwillig Opfer dieser Erscheinung. Kaum nämlich nahte er sich einer Sekretärin, einer Kollegin oder einer Vorgesetzten, so fing diese an, ihn schmachtend oder anzüglich anzulächeln, die Bluse aufzuknöpfen, den Rock hochzuschieben, gar mit hochgeschlagenem Rock in Unterhosen verschiedener Schnittart dazusitzen oder ihn mit offenem Reißverschluß und frei herausbaumelndem Busen in eine Ecke zu drängeln. Er wußte nicht, daß sie eine Art Wette abgeschlossen hatten. Da sich jedoch kein Erfolg einstellte, wurden sie immer aggressiver, bis einige sich, kaum trat er durch die Tür, blitzschnell auszogen. Er verlor zuletzt die Lust selbst am Sex zu Haus, das heißt, an Frau, Kindern und Familie, und ging, was heute doch recht selten vorkommt, in ein Kloster.
Mehr ist dazu eigentlich nicht zu sagen.

Psychoanalytikerherbst

Eine Psychoanalytikerin und ein Psychoanalytiker analysierten einander einmal so gründlich und so lange, daß sie am Ende einander vollkommen durchschauten. Aber als sie einander vollkommen durchschaut hatten, verloren sie jedes Interesse an dem, was sie durchschaut hatten.
Mehr ist dazu eigentlich nicht zu sagen.

Autorenherbst

Es war einmal ein Schriftsteller, der hatte sich vorgenommen, eine Geschichte zu schreiben, in der nur von Eß- und Trinkgewohnheiten, Verdauungsvorgängen, sexuellen Verhaltensweisen und vom Schlaf die Rede sein sollte. Ob etwa jemand gern Fisch ißt oder Käse, welchen Käse, welchen Fisch, wie zubereitet. Ob etwa jemand lieber Milch oder Bier, Wein, Tee oder Genever

trinkt, welche Sorten es gibt, was wie wirkt, innersekretorische Vorgänge u. s. w. Wer sich etwa wie wem sexuell nähert, frontal, rektal, anal, manuell oder sadomasochistisch. Schlaf, wie, wie lange, wie gut, wie schlecht, Träume, was für Träume u. s. w. Als er, nachdem er eine fast unübersehbare Menge an Material gesammelt hatte, anfangen wollte zu schreiben, fiel ihm auf, daß er eine vollkommen unpolitische Geschichte schreiben wird. Nun sitzt er da und denkt darüber nach.
Mehr kann ich eigentlich dazu nicht sagen.

Herbst der Herbste

Sein Leben war eine Kette von Fehlentscheidungen gewesen, mehr ist eigentlich nicht dazu zu sagen, es sei denn, daß es niemand, außer ihm selbst, bemerkt hat und daß vielleicht, von einem höheren Standpunkt aus gesehn, jede Entscheidung eine Fehlentscheidung ist.

Heute ist Mus- und Spartag. Wir gehen, indem wir schwarze Dinge löffeln, in uns und zählen. 'S ist halt November. Noch wieviel Mal am Leckwar schnuppern? Wir machen Häuflein, imaginäre, aus Lackmus, Bertram und Powidl, mit glänzenden Pechschwänzen, für die verbleibenden Tage; auch für die Blindenhunde fällt was ab, die sich durch feuchte Lottoscheine wühlen. Wer jetzt in keine Strähne tritt, der wird es lange bleiben. Die Dunkelheit, indem wir schwarze Dinge löffeln, nimmt zu; auch Kellerschächte fallen nicht mehr auf; es regnet. Wir malen uns die Augen aus: einen Trantaler, und eine Goldmarie, und eine Blechmarie. Schneuz dich, Bäumchen, bald gibt's Dalken, Tachteln und Wachteln; Advent, Advent!

OSKAR PASTIOR

Ingomar von Kieseritzky *Sammeln*

In Wahrheit regten mich nur Fotografien auf.

Als ich fünfzehn war, schenkten mir meine Eltern eine Box im Schafspelz, d. h. einen Apparat, mit dem ich bei einer Erzeugungsfähigkeit von Bildern im Format 6 x 9 oder 9 x 12 (es waren einmal gerade-ungerade und dann ungerade-gerade Maßzahlen, das weiß ich noch) die Welt, wie sie sagten, entdecken sollte. Mit dieser schwarzen Box stellte ich jahrelang lustlos trübe Bildchen her, immer in den gleichen Formaten. Mit dem glasigen Blick dieses Dings (durch einen Plstiksucher, der unregelmäßig bewimpert war) mußte ich Landschaften, Häuser, Tiere und vor allem Menschen betrachten, auf den kleinen Stabknopf drücken und mit einer freien Hand (die Kamera fest an der rechten Brust oder neben einem zitternden Kinnmuskel) am Filmtransporträdchen drehen; in welchem Sinn, Uhrzeiger oder entgegengesetzt, weiß ich nicht mehr. Durch Landschaftsmotive hofften meine Eltern meinen Schönheitssinn in Gang zu setzen. Es wurden große lederne Alben gekauft, in deren Folioseiten unter knisterndem Papier die jeweils in einem Jahr hergestellten Fotografien geklebt wurden, unterhalb des (gezackten) Bildrandes zart beschriftet. Unter Einzelzufällen von Visagen mußte ich Porträt schreiben, unter mehrere Visagenfälle (vorausgesetzt, eine gewisse Distanz war eingehalten worden) mußte ich Gruppenporträt schreiben. War ein Baum größer als ein Mensch oder eine Gruppe, handelte es sich um Landschaft. In Klammern hatte unter der Bezeichnung Landschaft die für diese Aufnahme allein mögliche, vom Sichtbaren abziehbare Spezifikation neben dem Datum zu stehen. Die Geschichte der Box endete mit einer Art endlosen Films, auf dem, von Aufnahme zu Aufnahme, immer weniger zu sehen war. Menschen (meine Eltern, Tanten und Onkel, diverse, längst verblaßte Geburtstagskinder neben geplatzten Würstchen) ließ ich allmählich grundsätzlich aus und fing vorsichtig an, sie am Rande des Suchers verzweifelt lächeln zu lassen; eine Zeitlang kappte ich die Köpfe und nahm statt dessen Knöpfe auf, Mäntel, Capes oder ältliche Paletots. Später (bei einer ebenso endlosen Wanderung nach unten) konzentrierte ich mich allein auf Füße oder Schuhe. Im letzten Stadium des Künstlers der Box sah man entweder den reinen Äther oder die Oberfläche des Planeten; sehr streng ohne menschliche Wesen oder ihre Zubehörteile. Nach dem Verlust der Box (ich ließ sie im Klobecken einer Autobahnraststätte) verlegte ich mich auf das sehr viel weniger anstrengende Sammeln alter Fotografien.

Von jeher hatten meine Eltern zur Erzeugung von Aktivität und Weltläufigkeit – was Ausschnitte betrifft – an meinen Sammeltrieb appelliert: vor der Box sammelte ich (nicht länger als vier Jahre) Stanniolpapier. Meine Umgebung verachtete das Sammeln von Stanniolpapier; es sei geistlos.

Das mag sein, in jedem Fall war es bequem. Man konnte Kugeln machen und sie nach Größe oder Gewicht katalogisieren oder man konnte eine einzige Kugel drehen, wie ein schokoladeessender Totenkäfer. Ich machte eine einzige monströse Kugel. Brachte man mir Schokolade mit, fraß ich sie auf der Stelle, glättete mit den abgeknabberten Fingerspitzen die silberne und weiche Fläche, drehte mit geringer Geschwindigkeit eine Kugel und schlug diese neue Kugel mit einem Spielzeughammer in die mütterliche Kugel.

Meine Eltern beklagten meinen Stumpfsinn und befahlen mir, Vernünftigeres zu sammeln, z. B. Briefmarken oder Versteinerungen.

Da Briefmarken leichter zu bekommen waren, sammelte ich keine Versteinerungen. (P. unterhielt damals eine umfangreiche Korrespondenz mit vielen ausländischen Partnern.)

Nach einer Weile schien es mir, als sei das Sammeln von Versteinerungen leichter. Zuerst mußte man lange Zeit Couverts in Papierkörben suchen. Beim Bücken stieg mir das Blut zu Kopf und ich bekam leichte Asthmaanfälle durch den Staub. Dann mußte man die Dinger von den Umschlägen lösen, ohne sie nennenswert zu beschädigen. Das schien aus einem unerfindlichen Grund wichtig zu sein. Nachdem sie auf den Umschlägen geklebt hatten, klebten sie nach dem Wasserakt an den Fingern. Das hartnäckige Kleben kleiner, bunter Stücke von Papier an meinen Fingerspitzen widersprach meinem hygienischen System. Ich schnitt die Marken einfach ab und klebte sie mit allen Brief-Schichten (es waren vier, zählte ich richtig) in die Alben. Diese bequeme Sammlung eines Amateurs wurde entdeckt. Man schenkte sie einem Kind aus der näheren Verwandtschaft, das nach einer Meningitis schwachsinnig geworden war. Das Gedächtnis meiner Box bewahrte noch lange Zeit das Bild des neuen Sammlers auf: einen dünnen kleinen Knaben, der auf einem fetten Album hockte.

Ein befreundeter Arzt (ein Dr. van Deysen) riet meinen Eltern, mich Streichholzschachteln oder auch Zündholzschachteln sammeln zu lassen; das Sammeln dieser Schachteln sei deshalb so nützlich, sagte er, weil das Entzünden eines Streichholzes etwas Prometheisches hätte. Diese Ansicht leuchtete meinen Eltern ein. Sie baten Freunde des Hauses, von ihren Reisen exotische Zündhölzer mitzubringen.

Bald füllten sich meine Schubladen und Schränke mit Zündholzschachteln aus aller Welt. Man wies mich an, einen Zündholzkatalog anzufertigen. Um den Schachteln zu entgehen, brachte ich ostentativ Kieselsteine oder Ziegelsteinreste nach Hause, legte sie in einer Reihe aus und beschriftete sie Stück für Stück.

Als meine gequälten Eltern nicht bemerkten, wieviel Steine ich schon besaß, jagte ich eines Tages in einer schläfrigen Minute (und wahrscheinlich ohne besondere Absicht) die Sammlung von Zündholzschachteln in die Luft. Der Schrank des kleinen Amateurs brannte vollständig aus, aber meine Eltern waren glücklich über das Zeichen von Aktivität.

Nach dem Feuer verlegte sich meine Umgebung auf das Sammeln von Versteinerungen. Die meisten Stücke wurden mir geschenkt, eine fossile Libelle z. B., eine hübsche rezente Qualle (ein natürlich eingesunkenes Exemplar, das verschlafen aussah; erwischt im Schlaf), die Imitation fossiler Bakterien in den Tracheen eines Käfers, zwei Facettenaugen eines Trilobiten, verschiedene Ammoniten und Belemniten, eine Menge von Mikrofossilien (Foraminiferen und Ostracoden), tertiäre Pollenkörner (Nachahmung) und in trägen Stellen eingelagerte Seesterne.

Ich sehe mich noch mit meinen Nachhilfelehrern (ich war schwach in mehr als vier lebenswichtigen Fächern) im Garten nach Versteinerungen graben; sie hatten einen Spaten und ich einen geräumigen Eimer.

Wir fanden nicht viel. Die Tiefen, in denen wir gruben, waren zu gering. Einmal erschreckten wir einen Erdwespenschwarm. An einer anderen Stelle fanden wir rostfarbenen Kot, den ich als Mammutkot für meine Sammlung wünschte.

Von allen Sammlungen meines Lebens (außer meinen späteren und schmutzigeren Sammlungen) war mir die paläontologische Kollektion die liebste.

Mit der Hilfe einer neuen Box versuchte ich sogar in einem Anfall von Nervosität, meine Exponate zu fotografieren.

Um mein Interesse an diesen toten Objekten zu fördern, schenkte man mir eine Laufbodenkamera, eine Bergheil 9 x 12; mein Exemplar hatte einen wunderbaren Rahmen aus Edelholz, brauchbar unter Tropenbedingungen. Die Herstellung menschenloser Bilder machte mir ein sanftes Vergnügen. Ich hockte stundenlang hinter dem Rahmensucher und glotzte unbeweglich auf die ausgeleuchteten Fossilien. Auf den Diopter fixiert, hielt ich endlos lange Belichtungszeiten aus. Bald gesellte sich ein Stativ dazu; ich war nicht mehr auf Bücherunterlagen angewiesen.

So liege ich noch heute auf Kissen in einem winterlichen Licht hinter meiner Balgenkamera; das aufrechte, aber seitenverkehrte Brillantsucherbild (mit einem tränenden Auge durch eine Sucherlupe betrachtet) zeigt für alle Zeiten den in Kalkstein erstarrten Geburtsvorgang bei einem Fischsaurierweibchen; drei Jungtiere schlafen in der Leibeshöhle, ein viertes ist in Begriff, das Muttertier zu verlassen.

Mit dem verkleinerten Abbild dieser Erstarrung durch die Unbeweglichkeit des Apparates und sein unbestechliches Auge schlief ich jahrelang ein.

Narziß

Alle Tonbandgeräte voll aufgedreht: hoch hoch hoch, Orden bis an die Knie geschichtet, er watet darin und nickt den Filmkameras zu. Beständig fallen Urkunden herab, Ehrennadeln, dazwischen Plakate mit seinem Bild. Als Himmel ein Spruchband das in Erregung gerät und seine Buchstaben freigibt, eine erfrischende Dusche für seinen vom Händeschütteln ermüdeten Körper. Er hört seine Rede und versucht sich zu umarmen.

LUTZ RATHENOW

Peter Rühmkorf
Ich butter meinen Toast von beiden Seiten

Schön, wenn einer mit Sprüchen vor euch hintritt, nichtwahr,
wo ihr bloß noch mit'm Kopf nicken braucht?!

Hier zum Beispiel haben wir unser PROGRESSIVES
THEATER ZUM MITSPIELEN, »wo die Selbstdarstellung
des Menschen wieder einmal voll greift –
Wäre das nicht ein echtes Freizeitangebot an Dich?«

Hier, gleich nebenan, entsteht ein INDIVIDUELL GEPLANTES FERTIG-
HAUS,
»Kommunikationszentrum für alternative Lebensformen –
Sie müssen natürlich Ihre ganze Persönlichkeit mit einbringen!«

»Zu unserem Konzert für schöne Stimmen begrüßen wir heute
außerdem:
UDO JÜRGENS!
Udo, der bei uns so viel Erfolg hat wie in der DDR,
faßt auch heiße Eisen an.«

Manchmal glaube ich allerdings, diesen Schleim
kann die Menschheit auf Dauer gar nicht einschlürfen,
ohne daß sich ihr das Bewußtsein umdreht.
Deine Augen haben schon keinen Inhalt mehr,
so sehe ich das.

Manchmal dagegen scheint mir die Welt auch wieder ganz
wirklich.

H i n ! H i n ! kuck doch hin, d e r T a g :
wie geht er so schön und flüssig über in andere
Zustände, während du ihm noch gesammelt aufs Blattgrün
blickst –
W i e s o g e w a l t i g
schäumt ein Morgen an die Brüstung.

Auf die Knie vor diesem Anblick!
Die Blende vom Gesicht!
Nicht, daß du erst auf große Gedanken kommst,
wenn deine Zeit schon vorüber ist –
Ideen rauschen so ran und fliegen vorbei, es stehn
aber gar keine richtigen Menschen mehr dahinter,
nur noch Betriebstankwarte,
nur Petroleumschwengel.

Was du machst, ist nicht jedermanns Sache, dies unter uns.

Und du hast irgendwie eine Meise, die keiner hat,
für die suchst du ein Weibchen.
In einer bekannten Gaststätte für Geistesgestörte
hältst du um Klartext an –
Ich aber sage dir: in meinen Kopf passen viele Widersprüche.
Der Verrückte ist immer im Dienst.
Ein Tragöde steht mitten im Leben.

Anders gesagt, ich persönlich butter meinen Toast
am liebsten von beiden Seiten.

Klar bin ich Kommunist bei diesem meinem Berufsrisiko.
Ich will das Glück für alle Anwesenden.
Bloß immer nur pfennigweise kommt die Arbeiterklasse
ganz bestimmt nicht vom Fleck!
Aber diese Flügelkämpfe im sozialistischen Lager
schau ich mir nicht länger mit an.
Über den Gram wird gelacht.
Melancholie erleidet Verfolgung.
Bei meinen Feinden, zuweilen, finde ich Zuflucht vor meinen
Genossen.

Sicher werde auch ich nochmal auferstehn und Partei ergreifen
(Frag jetzt nicht, wann!)
Ich will bloß nicht die ganze Gegenwart verwarten.

Mal'n bißchen verwöhnen lassen sich:
Den Flügel, der schon nachschleift,
Dies graue Haupt.

Sein Licht leicht fließen lassen und in Ruhe den Weg überschlagen
von den ersten blaugrünen Algen
bis zu deinem Blick vor die Tür –
Das sind imübrigen alles anerkannte Träume der Menschheit,
mit denen ich Umgang hab.
Durch »europäisches Denken« seit Jahrtausenden abgedeckt.

Und am Schluß – ganz zum Schluß – dann vielleicht noch ein
Griff in die dorische Skala:
e' – d' – c' – h – a – g – f – e!
K a p e l l e ! ! !
»What shall we do with a drunken sailor?«
J a , w a s m a c h e n w i r w i r k l i c h m i t i h m ! ?
Man kann doch von einem Besoffenen nicht verlangen,
daß er sich einen glänzenden Abgang verschafft –

BRÜDER!
'Ne Boje übern Traum u n d e i n e n W i m p e l
v o r s A b f l u ß l o c h g e s e t z t – :
Hier w o l l n w i r n o c h ö f t e r z u g r u n d g e h n !

Zwei Dichter an der deutschen Grenze, heimkehrend
(Nach J. W. v. G.)

Visitator:
Frei jetzt öffnet die Koffers und zeiget die Schätze des Kopfs;
Niemanden schreckts, und keiner verwehrt euch den Weg.

Einreisende:
Koffers führen wir nicht; gepreßt im Herzen die Kontrebandes – entschnürten
wirs, wüchsen erschröcklich sie an.

GERLIND REINSHAGEN

87

Fritz J. Raddatz   *Bruder Baader?*

Eine Nation hat den Kopf in den Sand gesteckt, sich nicht erinnern wollen – weder an die eigene Geschichte noch an die Personen. Identifizierung muß nicht immer den Fingerabdruck meinen, sondern das Forschen nach Gemeinsamem; nur daraus kann die wahre Absage kommen, das trauervoll schneidende Nein, überzeugender als alle Deklamationen. *Sympathein* heißt nämlich nicht in erster Linie »innerlich billigen«, heißt in seiner Grundbedeutung erst einmal »mitfühlen«. Also das Gegenteil jener Peinlichkeit auf halbmast wehender Mercedes-Fahnen. Automobilfabriken sollten bilanzieren, nicht flaggen, halbmast schon gar nicht. Eine Firma kann nicht trauern. Aber ein Mensch. Emphase, Teilnahme, Urteil: Das ist nur möglich, wenn Erbarmungslosigkeit sich nicht in der Aburteilung eines Einzelnen erschöpft, sondern zum Beurteilen einer Gesellschaft führt. Die Frage bleibt letztlich: Ist die Gesellschaft schuld?

Es ist die entscheidende Frage. Sie muß beantwortet werden. Der Terrorist, der den Bankier Ponto erschoß, ist so gut Produkt dieser Gesellschaft wie der Bankier Ponto. Auch Fehlentwicklungen sind Entwicklungen. So töricht es ist, jedes legasthenische Kind als »Versagen der Gesellschaft« vorzuführen, so ohne Moral und Verantwortung ist es, ihr ersichtliches Versagen hinwegzumogeln.

80 000 drogenabhängige Jugendliche. 82 000 Jugendliche ohne Arbeitsplatz. 300 000 Jugendliche zwischen 14 und 29 Jahren alkoholgefährdet. Die höchste Rate an Kinderselbstmorden in Westeuropa (500 jährlich). Die höchste Rate an stellungslosen Akademikern in Europa (etwa 40 000), 40 Prozent der Studenten in psychiatrischer Behandlung. Die niedrigste Rate von studierenden Arbeiterkindern in Europa (13 Prozent) – und das alles soll keine Folgen haben? Und das alles, dieser Rostfraß unter dem Lack der Produktgesellschaft, soll nicht Ursache sein?

Wo die Titelzeile »Kennedy erschossen« garniert ist mit »Kein Schälen, kein Schneiden, keine Tränen! – Thomys Röst-Zwiebeln«; wo das Photo vom Mord an einem Vietcong garniert wird mit sekttrinkender Fürstenhochzeit und BMW-Reklame; wo das Wort »Dichtkunst« in ganzseitigen Anzeigen nur noch im Zusammenhang sanitärer Abdichtungen und das Wort »revolutionär« für Schrankwände verwendet wird; wo Mannequin-Passagiere der »Landshut« eine Woche nach Mogadischu ihre läppischen »Erinnerungen« pfennigweise verkaufen – da *muß* doch, leise, langsam, unmerkbar erst, eine Verbiegung von Wahrnehmungen, ein Zerklirren von Werten stattfinden.

Eine Million Jugendlicher wurde als Bewerber für den öffentlichen Dienst überprüft; 285 Periodika, für die sie sich interessieren – vom *Argument* über das *Kursbuch* bis zur *Sozialistischen Zeitschrift für Kunst und Gesellschaft* –, wurden auf Schnüffellisten des Verfassungsschutzes festgehalten; 239 ihrer Bünde und Organisationen ebenso – von »amnesty international« bis zum »Werkkreis Arbeitswelt«. Nach der Schleyer-Entführung – keine deutsche Zeitung, lediglich die *New York Times* nannte ihn »a once hated SS-man« – wurde jeder von ihnen – jeder zwischen 20 und 30 –, der nach Frankreich fuhr, überwacht; selbst Mitglieder der Jungen Union. Gewiß das am besten geeignete Mittel, Trauer und Abscheu angesichts eines Ermordeten zu erzeugen. Selbst die nicht direkt linkslastige *Financial Times* schreibt: »Westdeutschland leidet an einem leichten Anfall von Autoritarismus.«

Die Liste der Vergehen, derer man diesen Staat anzuklagen hat, wäre lang – von der untersagten Carl-von-Ossietzky-Namensgebung für eine deutsche Universität (gleichsam ein zweites Todesurteil für den pazifistischen Schriftsteller) bis zum entlassenen linken Armeekoch, einer Farce, die selbst Conrad Ahlers fragen läßt: »Hat er zu oft rote Bete serviert?« Nur gefriert einem das Witzeln; wer von kritischen Geistern als von »Ratten und Schmeißfliegen« spricht – Ungeziefer, das man gemeinhin mit Gas ausrottet –, der ist nicht mehr zu bespötteln. Darunter liegt eine deutsche Sehnsucht nach Katastrophe und Untergang, die *ihn* mit derselben Intensität herbeibeschwört, wie sie Demokratie als das normale Miteinander von Gegensätzen nicht versteht, also zugrunde verteidigt.

Vakuum des historischen Bewußtseins ist immer auch Vakuum der Moral. Das ist beweisbar bis ins winzigste Detail von Redeweisen: Wer von »Zusammenbruch« spricht, ist das Ende der Hitler-Herrschaft gemeint, der bedauert etwas. Zusammenbruch ist nichts Herbeigewünschtes, gar selber Herbeigeführtes. Zusammenbruch ist erlittene Naturkatastrophe.

Die kritiklose Geschwindigkeit, mit der ein unverdauter, in Schnellkochkursen angerührter Instant-Marxismus eingeschlürft wurde, und die schneller, schärfer werdende Rechtspirouette: sie haben *eine* Wurzel. Das Wort »Sinngebung« mag heikel sein; doch die Tatsache ist nicht hinwegzuretuschieren, daß einer neuen

Generation, die nichts kennt als unsere Demokratie, deren Sinn und Wert nicht vermittelt wurde. Junge Menschen sind empfindlich gegen Lüge und Obszönität – ob es nun die kläglichen Winkelzüge des Marinerichters Filbinger oder die PS-Sehnsüchte des eigenen bürgerlichen Elternhauses sind oder Alfred Dreggers Satz: »Ich gebe mich mit dem Quatsch der Umfragen nicht ab – ich möchte vor allem regieren.« Wo Ideale nicht geboten werden, greift man zu Idolen: im Glücksfall Elvis oder die Beatles; im Mißverständnis Mao oder Che; im schlimmsten Fall Hitler. Weil diese Gesellschaft monologisch statt dialogisch strukturiert ist, hat sie eine Generation aus dem Gespräch entlassen, sich der Möglichkeit zur Aussprache begeben. Ob RAF, Tunix oder Wikingerbund: Haben wir das Recht, den Stab zu brechen? Ich habe kürzlich in einer Illustrierten zwei Seiten von Photos junger Leute gesehen, die mit Berufsverboten belegt sind: Es sah aus, exakt wie die Fahndungsliste von morgen. Wenn diese Gesellschaft keine anderen politischen Angebote machen kann als die an Schüler, beim Verfassungsschutz mitzuarbeiten, an Studenten, vor geschlossenen Numerus-clausus-Türen zu stehen, und an Lehrer, arbeitslos zu sein – wer von uns könnte da aufrichtig von sich sagen, er gehörte nicht vielleicht auch auf eine solche Photoliste der Verbotenen oder Gesuchten? Hat sich jeder von uns geprüft, wie er als junger Mensch reagiert hätte auf diese Welt von lächelndem Eis und samtenem Gift, die Angebot mit Sortiment verwechselt und Fragen mit Nachfrage, ein flimmerndes Riesenrad, dahinrasend zwischen Unbarmherzigkeit, Sentimentalität und Gnadenlosigkeit? Die Väter dieses Staates sind es, die ihn zu unterwühlen beginnen. Sie ertragen nicht Zweifel an sich noch an der von ihnen gezimmerten Gesellschaft – und sie begreifen nicht, daß unterdrückter Zweifel zu Verzweiflung gerinnt. Sie haben einmal ihr Lied gesungen vom Weitermarschieren, bis alles in Trümmer fällt; nun sie die herbeigesungenen Trümmer beseitigt haben, ergreift sie Panik vor Unordnung, die ihrem Leben den Sinn nähme; denn Gesetz und Ordnung, wie sie sie begreifen, ist ihre Sinngebung. Sie haben das große Falsche in ihrem Leben einmal »bewältigt« – also nicht, weil sie nicht einmal die Wortwurzel »Gewalt« in diesem Vorgang entdeckten. Noch einmal wollen sie nicht unrecht haben, und wenn man wieder »bewältigt«, damit dem Recht zu seinem Recht verholfen wird. Die jüngste deutsche Geschichte war ja ein Unfall, nicht etwa interpretierbare, erklärbare, schuldhafte Entwicklung.

Hans Magnus Enzensberger *Herolds System*

Rede in New York

Ich behaupte, daß in der Bundesrepublik zwei historisch und strukturell verschiedene Systeme der Repression nebeneinander her existieren; daß jedes dieser Systeme seine eigene Logik hat; und daß diese Logiken miteinander nicht vereinbar sind; gemeinsam ist ihnen nur die Wahnidee der perfekten »Inneren Sicherheit«.

Das erste System der Unterdrückung haben wir von unsern Vorfahren geerbt, eine Hinterlassenschaft, um die uns kaum jemand beneiden dürfte. Seine Anfänge liegen im frühen 19. Jahrhundert; Metternich und Bismarck waren seine ersten Meister; Hitler hat es zu seiner monströsen Blüte gebracht; Adenauer hat aus seinen Trümmern gerettet, was zu retten war. Seine politische Grundlage war der Obrigkeitsstaat, seine außenpolitische Entsprechung die imperialistische Expansion mit militärischen Mitteln. In der Nachkriegszeit hat es an Prestige verloren, aber seine Anhänger, die sämtlich der extremen Rechten zuzurechnen sind, verteidigen es mit bulldozerhafter Beharrlichkeit.

Das zweite System der Überwachung und der Repression ist dagegen ein genuines Produkt der Zeit nach dem Zweiten Weltkrieg. Es ist auf die historisch neuen Bedürfnisse der Bundesrepublik zugeschnitten. Seine innenpolitische Basis ist die Integration der Arbeiterklasse durch Massenkonsum und Wohlfahrtsstaat, seine außenpolitische Entsprechung die Offensive der deutschen Exportwirtschaft auf dem Weltmarkt.

Dieses zweite, sozusagen »fortschrittlichere« System der Kontrolle und der Repression hat auch eine neue Sorte von Experten hervorgebracht. Diese Leute gehören dem technokratischen Typus an, haben fast immer ein Hochschulstudium hinter sich und verfügen meist über ein ziemlich differenziertes Weltbild. Manche unter ihnen verstehen sich sogar als Wissenschaftler. Rationaler Diskurs und Analyse sind ihnen nicht fremd, und an wolkigen Weltanschauungen haben sie im allgemeinen kein Interesse. Es gibt heute in der Bundesrepublik Polizisten, die ein vergleichendes Studium ideologischer Systeme betreiben, ähnlich wie ein Botaniker Pflanzen klassifiziert. Ein wahrer Profi dieser Sorte wird versuchen, möglichst vorurteilslos vorzugehen; er ist sogar zur Zusammenarbeit mit Kommunisten bereit, wenn er sich davon einen Nutzen verspricht. Seine einzige Obsession ist die Sicherheit; er versteht darunter sein Bedürfnis, dafür zu sorgen, daß alles, was funktioniert, weiter funktioniere. Das ist natürlich ein sehr ehrgeiziges Ziel. Um es zu erreichen, muß der Experte alle denkbaren Störungen vorhersehen und eliminieren, ganz egal, woher sie rühren und was ihre Motivation sein mag. Er hegt keinen besonderen Haß gegen Intellektuelle, schon weil er sich selber zu ihnen zählt; er sieht hier sogar ein vielversprechendes Rekrutierungsfeld. Die Vergangenheit interessiert ihn kaum; er hält sich für zukunftorientiert. Seine politische Heimat ist gewöhnlich die Sozialdemokratie, gelegentlich auch die liberale Partei. Ein hervorragender Vertreter dieses Typus ist Dr. Herold, der Präsident des westdeutschen Bundeskriminalamtes.

Seine Macht ist nicht aus dem Gewehrlauf, sondern aus der Software seines Computers gewachsen. Von seinem Wiesbadener 40-Millionen-DM-Hauptquartier aus gebietet er über das modernste polizeiliche Datenverarbeitungssystem der Welt. Von diesem »Lagezentrum« aus erreicht er, bei kürzesten »Zugriffszeiten«, die Rechner der Landeskriminalämter, des Zolls, des Grenzschutzes, der Justiz- und der Strafvollzugsbehörden, das Bundeszentralregister, das Dokumentationssystem JURIS, die Computer der Staatsanwaltschaften und das Datennetz der Interpol; außerdem sind ihm auf dem Wege der »Amtshilfe« (was in Deutschland heißt: des gesetzlich im einzelnen nicht geregelten, kurzgeschlossenen Austauschs zwischen Behörden mit verschiedenen Kompetenzen) die Datenbanken der Kraftfahrzeugämter, des Ausländerzentralregisters, der kommunalen Einwohner-, Steuer-, Sozial-, Gesundheitsämter, der Baubehörden, der Bibliotheken, der Bundesversicherungsanstalt, des Militärischen Abschirmdienstes, des Bundesnachrichtendienstes und des Bundesamtes für Verfassungsschutz zugänglich. Ich bitte Sie um Entschuldigung für diesen langen Satz. Seine Syntax bildet nur das Dickicht unserer Bürokratien ab.

Im übrigen reicht die polizeiliche Datenverarbeitung weit in die angeblich »privaten« Bereiche; informell werden nämlich die Buchungssysteme von Hotels, Autovermietern, Luftfahrtgesellschaften, Reisebüros, Wohnungsmaklern, Pfandleihanstalten und Kreditschutzauskunfteien angezapft. Alle diese Überwachungsspeicher werden nach dem Grundsatz betrieben: soviel wie möglich erfassen, nie etwas löschen. Die Datenschutzgesetze, die in den letzten Jahren verkündet worden sind, erlauben durch großzügige Ausnahmen, was sie durch Regeln einzuschränken vorgeben; sie sind Schaufensterdekoration. In welchen Dimensionen hier gearbeitet und geplant wird, zeigt die Tatsache, daß ein Teilsystem, das INPOL heißt, für sich allein über ein 60 000 km langes Leitungsnetz täglich etwa zwei Millionen Transaktionen durchführt. Es ist sicher, daß die Bevölkerung Westdeutschlands heute einem Grad von Überwachung unterliegt, der historisch präzedenzlos ist; die Gestapo konnte von technischen Mitteln dieser Reichweite nur träumen. In absehbarer Zeit werden Dr. Herold und seine Kollegen wahrscheinlich in der Lage sein, jede unserer Bewegungen auf ihren Monitoren zu verfolgen, sofern sie Lust dazu haben. Wenn Sie auf einem westdeutschen Flughafen ihren Paß vorzeigen, wird er auf eine Glasplatte gelegt. Der Video-Terminal, der ihn abtastet, steht mit einem zentralen Computer in Verbindung. Aber auch wenn Sie in einem Hotel übernachten, ein Buch ausleihen oder Ihren Zahnarzt aufsuchen, hinterlassen Sie eine bleibende Spur.

Einen interessanten Gegensatz zu Dr. Herolds bombensicherer Betonburg in Wiesbaden stellt eine andere westdeutsche Institution dar, die Zentralstelle zur Verfolgung von Naziverbrechen in Ludwigsburg. Ich hatte einmal Gelegenheit, mir das Register anzusehen, das dort geführt wird. Von Orwellscher Perfektion keine Spur. Die Namenskartei besteht aus nahezu hunderttausend handschriftlich vollgekrakelten Blättern. An die Anschaffung eines Computers ist nicht zu denken; ein paar schlechtbezahlte Büroangestellte machen die ganze Arbeit.

Dr. Herold und die Seinen interessieren sich nun einmal mehr für die Zukunft als für die Vergangenheit. Ihr Ehrgeiz zielt weit über die bloße Repression hinaus auf die präventive Planung einer kybernetisch gesteuerten, störungsfreien Gesellschaft. Dabei fällt der Polizei aufgrund ihres »Erkenntnisprivilegs« die Rolle eines zentralen Forschungs- und Entwicklungsapparates zu, der als Early Warning System fungiert, Fehlentwicklungen und Risiken entdeckt und politische Strategien entwirft. Der Polizist sieht sich als Grundlagenforscher und Sozialwissenschaftler, der an Hand von empirisch gewonnenen Daten am mathematischen Simulationsmodell den gesellschaftlichen Gesamtprozeß antizipatorisch »durchspielt« und Gefährdungen der »Sicherheit« aufspürt und eliminiert, bevor sie massenhaft auftreten können. Dabei ist die Kriminalität nicht mehr sein Hauptgegner; er begreift sie vielmehr als unentbehrlichen Trend-Indikator, dessen Signale es »auszuwerten« gilt. An diesem Projekt finde ich nichts, was spezifisch deutsch wäre. Analoge Methoden sozialer Kontrolle entwickeln sich in so gut wie allen avancierten Ländern des Westens, beispielsweise in Schweden oder in Großbritannien, wo ein Untersuchungsausschuß unter der Leitung von Sir Norman Lindop erst kürzlich einen Bericht vorgelegt hat, der sich bis ins einzelne mit meiner Darstellung deckt. Das gleiche gilt für die Vereinigten Staaten, nur mit dem Unterschied, daß dort das Alltagsleben weniger hochgradig verstaatlicht ist; infolgedessen entfalten sich dort wichtige Überwachungsnetze, die von privaten Interessenten kontrolliert werden; dabei fällt dem Kreditwesen eine Schlüsselrolle zu.

Der eigentümlich deutsche Beigeschmack, die durchdringend nationale Duftnote, welche die repressiven Maßnahmen in der Bundesrepublik auszeichnet – denken Sie nur an die Praxis der Berufsverbote oder an die allgemeine Terrorismus-Hysterie –, erklären sich, glaube ich, aus der Überlagerung alter und neuer Methoden. Diese Interferenz führt wohl kaum zu einer (im Sinn der Ordnungshüter) glücklichen Ergänzung; sie bringt vor allem Pannen und Widersprüche mit sich. Außerdem verwirrt sie die radikaldemokratische Opposition, deren Rhetorik an die eigene und an die Tradition ihrer Gegner fixiert ist. Die Linke hält eben mehr vom Bullen alter Schule, wie er von Heine bis Tucholsky immer wieder beschrieben worden ist, als von Dr. Herold und seinen Kollegen im In- und Ausland. Der gute alte Polizist mit seinem Knüppel, seinem Tschako und seinem Rechtsdrall ist leichter zu begreifen und mit einfacheren Mitteln zu bekämpfen als seine historischen Nachfolger.

Was an den Technokraten der Repression stört, ist zunächst einmal ihre Lernfähigkeit, ihre Flexibilität. Ein gelegentlicher taktischer Rückzieher macht ihnen gar nichts aus; als sich beispielsweise zeigte, daß die sogenannten Radikalenerlasse politisch mehr kosteten, als sie einbrachten, wurden einige kosmetische Korrekturen angebracht; auch die Kontrolle der Reiselektüre an den Grenzübergängen scheint sich nicht recht bewährt zu haben. Der traditionelle deutsche Polizeichef, geplagt von seiner eigenen Arroganz und Rachsucht und besessen von der Furcht, Gesicht zu verlieren, hätte derartige Lernprozesse inbrünstig blockiert. Dr. Herold und die Seinen sind über solche Regungen des Trotzes erhaben. Ich kann mir ihr zufriedenes Lächeln an dem Tag vorstellen, an dem die Überprüfung von Bewerbern für den Öffentlichen Dienst eingestellt wird (falls wir diesen Tag je erleben sollten); denn natürlich ist es ihnen im Grunde nie um die paar Tausend biederen DKP-Genossen gegangen, die in diesen Verfahren abgelehnt wurden, sondern um die Dossiers von Millionen und Abermillionen von Überprüften, die seither in den Magnetspeichern der Behörde ruhen.

Aber es gibt noch einen anderen, wesentlich fundamentaleren Grund, weshalb gegen das fortschrittliche System der sozialen Kontrolle schwerer anzukommen ist als gegen seine Vorgänger. Es erfreut sich nämlich der passiven, ja zum Teil sogar der aktiven Unterstützung einer massiven Mehrheit unserer Bevölkerung. Diese Massenbasis beruht ganz einfach auf dem enormen Erfolg der Bundesrepublik, einem Erfolg, den die Linke von Anfang an geleugnet oder vielleicht nicht einmal wahrgenommen hat, obwohl sie ihn, wie alle andern, am eigenen Leib erfuhr. Er hat alle Westdeutschen, auch die Armen, zu seinen Teilhabern und Komplizen gemacht, ungeachtet der Katastrophen, Krisen und Beschädigungen, mit denen er unlösbar verschränkt ist. Niemand kann sich diesem Erfolg, der vor allem, aber nicht ausschließlich ökonomischer Natur ist, entziehen. In der Bundesrepublik legitimiert sich die Macht nicht durch irgendwelche »Werte«, sondern im Funktionieren des Alltags und in der Organisation des Überlebens. Dementsprechend nehmen Repression und Kontrolle ganz neue Züge an. Sie brauchen nicht mehr (oder nicht mehr ausschließlich) an das Unbewußte, an Ressentiment, Rassenhaß und Chauvinismus zu appellieren, um die Wut der Unterdrückten durch Projektionen abzulenken; sie verweisen stattdessen jeden auf sein Eigeninteresse, das kurzfristig sein mag, aber immerhin realitätsgerecht ist. Wahnvorstellungen, wie sie für die deutsche Politik traditionellerweise unentbehrlich waren, wie der Antisemitismus oder das nationale Sendungsbewußtsein, treten zurück und machen egoistischen Kalkülen Platz.

Jeder, der in ein Flugzeug steigt, hat ein unmittelbares Interesse daran, daß die Maschine nicht entführt wird oder explodiert; er wird deshalb die Sicherheitskontrollen akzeptieren, ja sogar begrüßen. Die Gurus der fortschrittlichen Polizei verallgemeinern dieses Modell. An der Mobilisierung enthusiastischer Massen, an fanatischen Anhängern, wie sie der Faschismus brauchte, liegt ihnen wenig; sie fordern uns lediglich auf, »vernünftig« zu sein. Die Zivilisation, von der unser Überleben abhängt, sagen sie, ist äußerst kompliziert und leicht verwundbar. Ihr Erfolg wird mit täglich zunehmenden Risiken erkauft: mit Verbrechen, Verknappungskrisen, Sabotage, wilden Streiks, psychischen Störungen, Umweltverschmutzung, radioaktiver Verseuchung, Rauschgiftsucht, ökonomischen Krisen, Terrorismus und so weiter und so fort. Wir denken gar nicht daran, das zu bestreiten. Im Gegenteil, wir machen darauf aufmerksam. Wir bitten um Ihr Verständnis. Dafür versprechen wir Ihnen, diese Gefahren aus dem Weg zu räumen, soweit es in unsern Kräften steht; wir bieten Ihnen ein Maximum an Sicherheit an. Wenn Sie nicht in die Luft fliegen wollen, müssen Sie unser System der Kontrolle in Kauf nehmen. Eine große Mehrheit aller Bürger ist dazu in Westdeutschland bereit, jedenfalls solange sie selber nicht direkt und physisch von den Maßnahmen der Polizei betroffen wird. Der Verlust einer sakrosankten Privatsphäre wird hingenommen, und die Überwachungsbehörden können, ohne auf massenhaften Widerstand zu stoßen, Daten-Duplikate einer Bevölkerung anfertigen und speichern, die »schließlich nichts zu verbergen hat«.

Die klassische Form der Repression hat sich einer so breiten Zustimmung nie erfreuen können. Eine Polizeigewalt, die sich unverhüllt und brutal auf der Straße zeigt, wirkt immer polarisierend; sie bringt Millionen von Menschen gegen sich auf und erzeugt tiefgreifende, dauerhafte Konflikte. Ihre Logik ist die des latenten Bürgerkriegs. Die neuen, »wissenschaftlichen« Methoden der sozialen Kontrolle zielen dagegen auf Integration; sie sind zu klinisch, zu unblutig, um starke massenhafte Gefühle wie Haß und Solidarität zu wecken. Die Megabits von Information, die stündlich in einen zentralen Computer fließen, unmerklich und lautlos, provozieren keine Tumulte; sie sorgen schließlich auch dafür, daß die Rente pünktlich angewiesen wird und daß man das Geld, das man für seine Schlaftabletten ausgibt, von der Gesundheitsbürokratie wieder erstattet kriegt.

Mit den bürgerlichen Freiheiten, die der bürgerliche Rechtsstaat einst versprach, kann es in einem derart organisierten Gemeinwesen nicht weit her sein. Was uns von ihnen geblieben ist, können wir nicht hoch genug schätzen und nicht zäh genug verteidigen; denn dieser Rest ist beträchtlich. Er macht die Bundesrepublik bewohnbar. Überhaupt habe ich keine Lust, den Zustand meines Landes schwarz zu malen. Das ist nicht nur überflüssig, es wäre auch verkehrt. So tiefe Gefühle wie Verzweiflung oder Hoffnung wären, wenn Sie mich fragen, an Erscheinungen wie Dr. Herold verschwendet. Wer sein Projekt verstehen und die Chancen, die es hat, einschätzen möchte, wird auf eine Fähigkeit zurückgreifen müssen, die vielen meiner Freunde auf der Linken begreiflicherweise abhanden gekommen ist: er braucht dazu einen rücksichtslosen Humor.

Wenn man bedenkt, daß die alte und ehrwürdige europäische
Tradition des utopischen Denkens in unseren Tagen so gut wie
völlig abgestorben ist, und daß es keiner unserer Philosophen
mehr wagt, ein gesellschaftliches Zukunftsprojekt zu entwerfen
und vorzuschlagen, dann mutet es wie ein blutiger Treppenwitz
an, daß es die Polizisten sind, die als letzte an einem Großen Entwurf basteln. Sie wollen uns ein Neues Atlantis der allgemeinen
Inneren Sicherheit bescheren, einen sozialdemokratischen Sonnenstaat, eine Insel Felsenburg für Sozialautomaten, gelenkt und gesteuert von den allwissenden und aufgeklärten Hohepriestern des
Orakels von Wiesbaden. Diese Vorstellung ist nicht nur makaber,
sondern auch lächerlich. Wie vor ihm andere und rühmlichere
Menschheitsträume wird Dr. Herolds Utopie der Repression ein
klägliches Ende nehmen. Wahrscheinlich wird es nicht der organisierte Protest sein, der seine Festung schleift, sondern eine mächtigere Kraft, die Erosion, mit ihren vier langsamen, unwiderstehlichen Reitern, die da heißen Gelächter, Schlamperei, Zufall und
Entropie.

Als im »Stechlin« von Fontane der Sohn des Stechlin sagt: »Auf zum Neuen«,
da sagt Pfarrer Lorenzen, der in diesem Buch eigentlich Fontanes Hauptmeinung
wiedergibt: »Nein, am Alten festhalten und nur, wenn es unbedingt sein muß,
an das Neue.«
Und dies ist der Punkt, um den es geht. Wenn es sein *muß*, das Neue. Wir
aber haben in unserem Land eine ganze Traditionskette, daß das Neue gemacht
wird, wenn es nicht sein muß. Und umgekehrt, wenn es sein muß, es noch
längst nicht gemacht, sondern gewaltsam unterdrückt wird.
Es geht nicht darum, immer neue Anfänge zu setzen und diese dann abzubrechen. Dieses Prinzip der Diskontinuität zur Geschichte ist ein spezifisch deutsches
Rezept für verheerende Katastrophen. Vielmehr geht es darum, ein gelassenes
Verhältnis zur Geschichte seines Landes zu haben, d. h. Geschichte zuzulassen.
Man muß konservativ sein, wenn man progressiv ist. Es geht darum, daß wir
anfangen, an unserer Geschichte zu arbeiten. Etwas sehr Konkretes stelle ich
mir darunter vor, es kann auch damit anfangen, daß man sich darüber wechselseitig Geschichten erzählt. Ernst Bloch sagt: »Geschichte wiederholt sich nicht.
Ist sie aber nicht Geschichte geworden, ist sie mißlungen, dann wiederholt sie
sich durchaus.«   ALEXANDER KLUGE

Kurt Bartsch *Zwei Gedichte*

Besuch Enzensberger

52 Grad 31 nördlicher Breite, 13 Grad 25 östlicher Länge
Auf meinem Sofa Herr Enzensberger
Trägt einen Gehrock, ein Stück *fin de siècle*
Zeichen der Zukunft, in seinen Augen
(Hellblau) schwimmt etwas Weißes, ich denk noch
Wie schön sich der Zucker spiegelt, der weiß
Auf silbernem Löffel gereicht wird, da
Hör ich dies feine Klirren. Ein Knirschen
Scharren, wasweißich. Dann wieder Stille.
Wir lächeln. Wir trinken Tee. Es ist
19 Uhr 43 MEZ, vor dem Fenster
Ist alles schwarz, auch der Schnee. WIR BITTEN
WEITERE NACHFORSCHUNGEN EINZUSTELLEN.
WER ETWAS TUT ODER UNTERLÄSST MACHT SICH
STRAFBAR.
Es überkommt mich, ich weiß nicht warum
Eine große Ruhe. Es ist, seh ich
Kein Eisberg zu sehn. Der Anfang vom Ende
Sagt Enzensberger, ist immer diskret.

Abriß

Ich kenne jeden Stein hier, Häuser Straßen
Dies Zimmer meine zweite Haut, ich kann nicht
Aus meiner Haut, verstehen Sie, ich will nicht
Mein Fleisch verfault hier schneller als woanders:
Das ist es, was mich hält. Lichtlose Räume
Die Keller leer, die Wohnungen verlassen:
Wenn ich hier sterbe, sterbe ich allein.
Woanders lebe ich allein. Es fragt sich
Was besser ist. (In meinem Alter
Wächst keine zweite Haut.) Ich sage:
Das Möbelauto ist mein Leichenwagen.
Wenn sie mich holen, spring ich aus dem Fenster.

Luise Rinser *Vaterland? Mutterland!*

Man muß es mir glauben: als ich diese Überschrift tippte, passierte mir der Fehler, daß ich die Taste für die Großbuchstaben nicht zurückdrückte und so statt des beabsichtigten Kommas ein Fragezeichen schrieb, und dann statt des Punktes ein Ausrufezeichen. Was für ein Scherz meines Unbewußten! Ein kleiner gescheiter Kobold hat damit den Kern meiner Ausführungen einfach vorausgenommen. Nun gut, es soll so stehen bleiben.

Ein Mensch kann zwei Vaterländer haben, ein angestammtes und ein frei gewähltes. Ich habe ein Vaterland und ein Mutterland. Das Vaterland ist, wie man weiß, Deutschland, das Mutterland ist Italien, es ist mir mütterlich, es ist ein Anima-Land, ein weibliches Land, hier herrscht die Große Mutter, Madonna genannt, häretisch heidnisch zur Göttin erhoben vom Volk. In ihrem Namen herrschen die Großmütter und Mütter über die Männer. Deutschland ist ein Männerland, ein Animus-Land, ein Land mit männlichen Idealen, als da sind: Zucht und Ordnung, Gesetz, kriegerisches Heldentum in Gehorsam gegenüber dem Staat, wer immer ihn anführt, sei's der Kaiser, sei es ein böser Diktator, seien es übernationale Interessenten. Deutschland ist ein Staatsland. Der Staat ist, nach Nietzsche, das kälteste aller Ungeheuer. In Deutschland (hüben wie drüben) wird nach strenger Väterart regiert und nach braver Sohnesart gehorcht.

Der amerikanisch-deutsche Psychologe Erich Fromm unterscheidet biophile und nekrophile Menschen und Völker: solche, die das Leben lieben, und solche, die vom Tod fasziniert sind.

Italien ist ein biophiles Land: hier lebt man, hier macht man ein Fest aus dem Leben mitten in Armut und Durcheinander, hier mag man keinen Krieg, hier mag man den Staat nicht und überhaupt keine »gemachte« Ordnung, hier liebt man das schöpferische Chaos, hier führt man vor lauter Demokratiesein die Demokratie in die Anarchie, in der man wiederum sich demokratisch häuslich einrichtet.

In Deutschland will man jede natürliche Ordnung gesetzlich festlegen und macht sie damit steril. Man hat furchtbar Angst vor jeder Improvisation, vor allem nicht Vorgesehenen, nicht staatlich Erlaubten. Das Demokratische wurzelt schlecht ein, der Diktator, der Große Vater, ist ersehnt. Ihm und der abstrakten Idee Staat opfert man sein Leben. Der Kriegsheld ist (immer noch!) das

Ideal des deutschen Mannes. Der Mann, der nicht töten will und das Töten nicht lernen will, ist ein Staatsfeind. Richard Wagners todessüchtige, todverfallene Musik ist der konzentrierte Ausdruck des Nekrophilen im Deutschen.

Ich lebe mit diesem deutschen Erbe im Blut (nicht im Geist) in Italien. Das macht mich nationalistischen Deutschen suspekt. Mit Recht: ich bin zwar keine politische Emigrantin, aber eine seelisch-geistig Ausgewanderte.

Dennoch: ich bin Deutsche. Nämlich: ich schreibe in deutscher Sprache. Ja, aber könnte ich da nicht auch Ostschweizerin sein oder Österreicherin? Doch, das könnte ich. Oder DDR-Deutsche? Das ist ein anderes Kapitel. Wie auch immer: Sprachraum ist Sprachgeist und Sprachseele, also bin ich deutsch.

Deutsch ... was ist das? Was ist Deutschland, was ist es für mich? Woran denke ich, wenn ich an Deutschland denke? An Oberbayern denke ich, an nichts anderes. Und an was denn in Oberbayern? An den Chiemsee und an Kloster Wessobrunn, meine beiden Kinderheimaten, an barocke Kirchen und Kapellen, an Urschalling mit dem byzantinischen Trinitäts-Fresco, an Frauenchiemsee, an Juniwiesen, an die Schöneggard, das Moor, das es nicht mehr gibt und das von der Autobahn Salzburg–München zerschnitten ist, an die Isaranlagen, in denen ich als Internatskind zwei und zwei spazieren gehen mußte, an die Zugspitze, an den Mühlbach in Rosenheim mit dem alten Haus meiner Großeltern. Oberbayern, das ist mir keine geographische Landschaft und schon gar keine politische, sondern eine Innenansicht meiner Seele, voll von Erinnerung. Schöne traurige katholische Kindheit, das ist mir Oberbayern. Als wir unter Hitler nachweisen mußten, daß unsere Vorfahren bis zu den Urgroßeltern keine Juden waren, bekam mein Vater Lust, darüber hinaus Ahnenforschung zu treiben. Das war leicht bei so alteingesessenen Oberbayern, was die väterliche Linie anlangt. Der älteste Rinser, den mein Vater in der Münchner Staatsbibliothek aufstöberte samt Wappen, war Hanns Rinser von Rinns, und seine Stammburg war am Rinsersee beim heutigen Endorf. Dieser mein Urahn Hanns lebte um 1536. Seine Burg stand hoch über einer Römerstraße. Was tat er dort? Ich meine, er tat das Naheliegende: er überfiel die Kaufleute, die da unterhalb seiner Burg Waren vorbeischleppten aus Italien. Schlimmer Urahn. Der Reichtum, falls er einer war, hielt sich nicht und nicht der Adel. Die Nachfahren waren Bauern in der Rosenheimer und Rotter Gegend.

Die mütterliche Linie führt ins bayrische Schwaben und von dort in den Balkan, was ich nicht nachweisen kann bisher. Vermutlich waren sie Banat-Schwaben. Als Kind wars mir klar, daß ich ein Zigeunerkind war, und mein jüngster Sohn, Stephan, sagte als Kind, nach seinem spätern Beruf befragt: Zigeuner. Nun: Zigeuner oder doch Balkanleute auf einer Seite, oberbayrische Raubritter auf der andern, dazu ein römisches Bluterbe vielleicht, das ist schon eine Kondition, die das Mißtrauen braver deutscher Kleinbürger rechtfertigt. Ich bin nicht eine der Ihren. Aber oh über mein oberbayrisches Schicksal: als ich mir in Italien ein Grundstück kaufte, wo fand ichs? In der Gemeinde Rocca di Papa. Und wer hat sich vor einigen hundert Jahren dort angesiedelt? Oberbayern, man sollt's nicht glauben. Ausgediente Söldner des päpstlichen Heeres, die im Süden blieben und gerade dort, auf dem Papstfelsen (Rocca der Fels, Papa der Papst) sich einnisteten im Andenken an die heimatlichen Felsenberge. Die Rocceacciani sind, anders als alle andern Leute in den Castelli Romani, wortkarg und unfreundlich, eben: Oberbayern, und also, nach dem alten Meyerschen Lexikon, »ein wildes Bergvolk ...« Jedoch hat die südliche humane Gesittung auf sie abgefärbt.

Ich wohne außerhalb des Ortes an dessen ausgefranstem Rand, mitten zwischen Weinbergen. Von meinem Schreibtisch aus sehe ich, ganz nahe, den fast tausend Meter hohen Monte Cavo, einen vulkanischen Aufwurfberg. Da oben war ein Jupitertempel, danach ein Kloster, danach ein Ristorante; das ist der Abstieg der Menschheit, so sage ich an Tagen der Verfinsterung. Sonst aber freue ich mich des Berges, an dem die Edelkastanienwälder herunterfluten, er ist immer noch ein Göttersitz. Im Winter ist er bisweilen leicht überschneit und leuchtet in der Sonne. Er ist mein Fudschijama und meine Alpspitze.

Meine Nachbarn sind kleine Weinbauern, Landarbeiter und in Rom Angestellte, Pendler. Weiter unten im Tal ist eine auffallend große und auffallend vernachlässigte Villa mit Nebengebäuden, die leer sind. Das alles mit viel Land drum herum gehörte einst dem Privatsekretär von Mussolini, den die Partisanen oder die Deutschen bei Kriegsende umgebracht haben. Jetzt haust seine Witwe dort, eine Gespenstin mit zwei unverheirateten menschenscheuen ältlichen Töchtern. Einst wurden auf der Terrasse dort rauschende Feste gefeiert. Jetzt wächst das Gras auf den Dächern. Das ist der Lauf der Welt. Alle andern Nachbarn sind freundlich und haben mich längst »angenommen«, sind aber nicht um alles zu bewegen, mich nicht Signora zu nennen, sondern Luisa, wie man sich eben in Italien mit Vornamen anredet, auch die Sprecher im Fernsehen tun das, auch die Politiker meist. Ich bleibe leider »La Signora«. Ich bin ja auch wirklich eine Ausnahmeperson dort: da kommen deutsche und italienische Fernsehteams, und die Nachbarn kommen mit auf den Film, und Botschafter kommen und Negerpriester und Negersänger und einmal kam ein Auto voller wuscheliger dunkler Südamerikaner, die wie Terroristen aussahen, aber brave Studenten der päpstlichen Universität waren, und einmal kam die italienische Polizei, die Carabinieri aus Frascati mit dem Boss, dem Maresciallo selbst (in wessen Auftrag wohl???), um bei mir 1974 die zwei Deutschen namens Baader und Ensslin zu suchen, die ich wohl seit ihrem Besuch am 4. Januar 1970 noch bei mir versteckte ... Der Maresciallo genierte sich sehr, diesen häßlichen Auftrag ausführen zu müssen. Er tat es, indem er sich mit dem zweiten Mann ins Haus und zum Cinzano einladen ließ, und wir hatten ein langes Gespräch über Geschichte, das war sein Steckenpferd, und über Politik, das war das meine (ein räudiges, zugegeben, aber eins, das mir auf den Fersen bleibt!), und wir schieden in Freundschaft und unter gegenseitigen Entschuldigungen, derweil die zwei andern, die Wache halten mußten, zum Eierkaufen gegangen waren, einer tauchte zerzaust aus dem Gebüsch auf, er hatte dort wohl geschlafen und vielleicht nicht allein. Ach meine Italiener! Vor Jahren gab's einen Wirbel um den Münchner Weihbischof Defregger, der, als Wehrmachtsoffizier (noch nicht Priester, aber gleichviel) bei Kriegsende noch ganz sinnloserweise »auf Befehl« siebzehn Partisanen hat erschießen lassen und es nie auch nur bereute. Im Löwenbräu war ein Treffen dieserhalb; ich mußte auch sprechen und dolmetschen. Schließlich rief ich in Rage: »So, da dieser Weihbischof und Priester nicht kommt, vor dem Totenkreuz in Filetto zu beten, will ich es tun, ich werde einen Tag lang dort knien, stellvertretend.« Großer Beifall bei den Italienern. »Ja, kommen Sie Signora, aber nicht zum Beten und Büßen: wir machen ein großes Festessen.« Vielleicht begreift man, dies bedenkend, warum ich so gerne hier bin. Meine Wurzeln, die habe ich in Oberbayern. Aber Efeu und Erdbeere machen Ausläufer. Ich liebe das Land, in dem mein Ausläufer Wurzel faßte. Ich liebe auch meine oberbayrische Heimat, sehr! Doch liebe ich sie inniger aus tausend Kilometer Entfernung.

Angela Sommer   *Zwei Gedichte*

Der Maulwurf

Ich habe lange Jahre
Gänge gegraben
immer ferner vom Licht

bis mir ein Pelz wuchs
vom Kopf zu den Zehen
die Finger sich krümmten
zu Krallen

jetzt aber
während ich
langsam erblinde

fühle ich Sehnsucht
nach Licht

Die Hausfrau

und wenn ich dann Staub gewischt
die Blumen gegossen
und die Fenster geputzt habe
setze ich mich in den Garten

seitdem ich die Pocken habe
ist es bei mir immer so geruhsam

zuerst habe ich meine Kinder begraben
dann meinen Mann und gestern die Katzen
und wenn ich tot bin
wird mich die Tante begraben

doch bis dahin bringe ich die Pocken
erst noch nach München
und dann ist Schluß

Ror Wolf   *Einige Abende bis fünf Uhr morgens*

Am Abend davor war A mit dem Glas in der Hand vom Stuhl
gefallen, und wie mir B später erzählte, war auch er, freilich an
einem anderen Abend, vom Stuhl gefallen. Es ist damals auch
vorgekommen, daß plötzlich die Tür aufging und C hereinstürzte,
und während wir unsere Gläser austranken, stürmte D herein,
von Jubelrufen begrüßt. Aber zurück zu einem anderen Abend,
da war plötzlich die Tür aufgegangen und E war hereingekommen, ich trank einen Schluck und herein stürzte F, der an diesem
Abend besonders viel Durst hatte. Nun bedeutete das an sich noch
nicht viel, aber da gerade G hereinsprang, stand ich auf, was
macht das alles zusammen? rief ich und warf etwas Geld auf den
Tisch. Wir alle erinnern uns noch an diesen Moment, denn da
öffnete sich die Tür und H kam herein, mit seinem bekannten
Schwung, wir freuten uns sehr, aber da sind wir bei einem ganz
anderen Abend. Doch eines abends stürzte auch I herein. Schön,
daß Du da bist, wurde gerufen. Ich hatte ein Glas in der Hand
und war gespannt, wer als nächster hereinspringen würde, und
als sich die Tür öffnete, sprang J herein, und K, von dem ich
noch nicht gesprochen habe, kam kurz vorbei, und das war jetzt
L, der plötzlich hereinschneite mit Neuigkeiten, und durch den
Eintritt von M nahm das Gespräch eine andere Wendung. Ich
glaube, es war ein sehr schöner Abend, in jeder Beziehung, denn
winkend stürzte nun N herein, Rauch herausblasend. Ich freute
mich wirklich, ihn kennenzulernen. Mir geht es gut, sagte O, der
nicht viel später hereinkam, wie geht es Ihnen? Und kaum war
der Jubel verklungen, da ging die Tür auf und P schwankte herein. Ich hatte ein Glas in der Hand und fing an in die Luft zu
springen, aber das war ein Fehler, denn nun sah ich, daß alle
gegangen waren, nur ich hatte ein Glas in der Hand und sprang
in die Luft und zur Tür hinaus in ein Taxi hinein, schon war ich in
einer anderen Gegend.
Es rauschte ein bißchen in meinen Ohren, da kam plötzlich Q
herein und fragte mich, ob ich R kennenlernen wollte. Natürlich
wollte ich das, aber in diesem Moment erschien S und sagte: aha,
das sind *Sie*? ich habe schon viel von Ihnen gehört. Ich nahm
einen Schluck und T, der gerade hereinsprang, sagte noch ein
paar Worte, und obwohl ich die Worte schon lange vergessen
habe, scheinen sie von einer großen Überzeugungskraft gewesen

zu sein, denn ich nickte oft zwischen den Schlucken. Aber an einem anderen Abend, ich hatte gerade ein Glas am Mund, kam U herein: los auf, sagte er, es war noch gar nicht so spät, wo soll es denn hingehen? das werden wir sehen. In größter Ruhe fuhren wir los, ich spürte nicht viel, weder sonst noch sonst etwas, ich mußte mich einfach hinsetzen.

Und als in diesem Moment die Tür aufging, trat V herein, den ich noch nicht erwähnt habe, wir hatten lange auf diese Begegnung gewartet. Es freut mich, Sie kennenzulernen, sagte kurz danach W, der zur Tür hereingekommen war. So ging wieder ein Abend herum. Die Tür ging auf, jemand sagte: dort kommt X, wo kommt er denn her? ein zustimmendes Murmeln lief um den Tisch herum, als die Tür aufging und Y hereintrat. Machen Sie weiter so, Ihre Art gefällt mir, sagte Z, der hereingekommen war und ein Glas für mich bestellte, Prost, sagte ich und stutzte, war das nicht A, der gerade zur Tür hereinsprang? Betrachten Sie diese Dinge einmal von *der* Seite, sagte er. Ich betrachtete diese Dinge von der Seite und war wirklich erstaunt, denn plötzlich war ich der Meinung, daß B gerade hereingekommen war und wieder hinausgehen wollte, ich nahm einen Schluck und winkte ein Taxi heran und fuhr nun davon. Aber in diesem Moment kam C herein, dieser Mann steckte voller Pläne, und D, der gerade hereingekommen war, sagte: ich will das mal so erklären, E hatte auch nicht ganz Unrecht, doch in diesem Moment spürte ich Schläge auf meinem Rücken, auf den mich soeben F geschlagen hatte, der mit den Worten: hier sieht man Dich also wieder, hereingekommen war. Und am nächsten Abend öffnete sich die Tür. Schon hatte ich wieder ein Glas in der Hand. Gehen wir nun davon aus, daß die Tür aufging und daß in aller Ruhe G hereintrat. Er gab eine Probe seiner Redegewandtheit, aber schon erschien H und nachdem dieser Vorfall erledigt war, haben wir uns lange die Hände geschüttelt, ich habe schnell ausgetrunken und mich daran erinnert, daß ich eigentlich etwas sagen wollte, aber in der Zwischenzeit war I hereingekommen, der das Lachen immer noch nicht verlernt hatte, und bevor ich mit den Schilderungen und Erfahrungen, die diesen Abend betrafen, fortfahren konnte, bestellte mir J, der plötzlich am Tisch stand, etwas und da waren wir auch schon beim nächsten Abend, da öffnete sich wieder die Tür, und es ist vielleicht ganz interessant, zu bemerken, daß plötzlich K neben mir stand. Was haben Sie vor? fragte er. Ich sagte: an diesem Abend überhaupt nichts. Also, sagte K, unter uns, dann bis morgen abend. Wann kommt endlich L, dachte ich damals, aber L kam nicht, die Tür ging nicht auf, und so ging wieder ein Abend herum, wir wollen jetzt nicht mehr davon reden, es wird ohnehin gleich anfangen zu regnen.

Werner Kofler   *Ein Bericht für eine Jury*

Für Ingeborg Bachmann

Hohe Damen und Herren von der Jury!
Sie erweisen mir die Ehre, mich aufzufordern, einen Text aus eigener Feder der Jury zur Beurteilung vorzulesen.
Ich versuche, der Aufforderung nachzukommen. Wenige Stunden nur trennen mich vom Urteil, eine Zeitspanne, kurz vielleicht für viele, unendlich lange aber für einen, der für eine günstige Beurteilung des Textes alle erdenklichen Vorbereitungen getroffen hat, streckenweise begleitet von vortrefflichen Menschen, Ratschlägen, Beifall und Warnungen, und der nun, im Grunde allein geblieben, vorliest.
Der Text, den ich Ihnen vorlese, ist kein Auszug aus einer größeren Arbeit, etwa aus einem Roman, den die Jury, bis auf das Vorgelesene, nicht kennt und, da es nicht ihre Aufgabe ist, auch nicht zu kennen hat; es ziemt sich nicht für einen Autor, einen Auszug aus einem noch so dicken Roman vorzulesen und dann, um der gerechtfertigten, sich bereits abzeichnenden Vernichtung zu entgehen, den Preisrichtern frech ins Gesicht zu sagen, wollten sie zu einem gerechten (in Wahrheit nur für den Dichter unverdient günstigen) Urteil gelangen, müßten sie das gesamte Manuskript kennen, einen ganzen Roman! »Absolut unzulässig« hat der hohe Vorsitzende der Jury ein solches Vorgehen einmal erzürnt genannt, und ich muß ihm voller Bescheidenheit recht geben. Laut oder leise, verständlich oder nicht; ob ein einnehmendes, gefällig (etwa mit einem lustigen Hinweispappschild) arrangiertes Auftreten, ob ein vonvornherein abstoßender, anmaßender Schreiber, ob Triumph, ob Niederlage – nur, was hier vor Ihnen vorgelesen wird, zählt!
– Ich bringe eine abgeschlossene Erzählung zum Vortrag, einen Bericht; einen in sich geschlossenen Text, eigens für diesen großen Auftritt geschrieben – wenngleich ich, als ich erstmals die Namen

der Preisrichter las, anerkannte, allerorten gelobte, unbestechliche Meister ihres Fachs, erwartete, auch ein Orchester vorzufinden, das einen Tusch spielen werde. Aber Enttäuschung steht mir nicht zu.

Meine Prosa besteht, die geschätzten Damen und Herren werden es bereits erkannt haben und mir zustimmen, aus Sprache. Aber nie nur! Sie setzt sich zusammen aus Stoff, Thema, Substanz einerseits – Sie werden es den INHALT nennen – und aus sprachlichen Mitteln, sprachlicher Vermittlung, der FORM, wie Sie bestätigen werden, andrerseits. Daß es zwischen beiden Seiten zu keiner Diskrepanz kommen darf, es versteht sich für mich von selbst. Zu billig aber (keine Jury der Welt würde sich davon zu hohen Bewertungen hinreißen lassen), zu billig, sage ich, nur Inhalte in passende Formen zu gießen, ob alte Inhalte in neue Formen oder neue Inhalte in alte Formen. Nein, auch die Form, die bloße Form kann (und muß) bereits der Inhalt sein, die Sprache als Inhalt der Sprache, die Sprache und nichts als sie, wie dies auch in meinem Prosastück in einigen wichtigen Momenten ausgewiesen ist, beispielsweise auf Seite zwei in der Formulierung »ich sprachbuch sprachbuch«. Möge ein Teil von Ihnen dieses Unterfangen auch waghalsig nennen, wird mir der andere, dem Experiment zuneigende Teil der Jury größte sprachliche Kühnheit bescheinigen. Ich weiß, Sie sehnen sich nach dem stammelnden Erzähler nicht, aber: stammelte ich, ich würde hier nicht sitzen und Ihnen vorlesen. Nicht der Erzähler stammelt, sondern die Figur des Stammlers in seiner Erzählung – immer vorausgesetzt, sie ist temperamentvoll geschrieben. Was sollte, wie im Fall meines Textes, die Figur des Stammlers, des negativen Helden, des Parvenu, was sollte er anderes tun, als stammeln? Sollte er schweigen? Sollte er sich um Posten eines Feuilletonredakteurs bewerben? Sollte er es sich vielleicht in den Kopf setzen, Preisrichter werden zu wollen? Sie sehen: die Welt ist schrecklich, und sie muß in einer schrecklichen Sprache beschrieben werden.

Doch weiter in meinem Bericht, den Ihnen nahezubringen ich alles in meinen Kräften Stehende zu tun im Begriff bin. Niemand nenne meine Sprache hölzern und umständlich, niemand spreche von Beliebigkeit oder Kanzleistil, glänzender Wortoberfläche oder mangelnder Intensität; keiner bezeichne meine Prosa »redaktionell – zynisch« gar als brillant geschriebenen Scheißdreck. Einige Autoren dämonisieren die Wirklichkeit – ich neige nicht dazu. Andere wieder flüchten IN BILDER und AUS BILDERN, aus Schwäche und Unfähigkeit heraus stellen sie Vorwurfsprosa und

Bekenntnisliteratur her, Mitteilungsprosa, glanzlose, spröde Texte, politische Literatur. Nein! Nein zur Ideologie, nein zur Biografie! (Sie werden sich vielleicht fragen, hohe Damen und Herren von der Jury, woher ich die Stirn habe, Ihre kritischen Maximen so zu erraten, aber der geschätzte Vorsitzende – manch gute Flasche Rotwein leerte ich mit ihm – wird mir beipflichten. Das ICH in der *Literatur* kann nicht wichtig genommen werden, anders als das ICH des AUTORS, ist er doch Autor und nicht etwa Preisrichter. Hier sitzend und vorlesend, die nachfolgende Beurteilung erwartend, wie könnte ich jemand durch Maßlosigkeit und Unbotmäßigkeit verärgern wollen?)

Zurück zur Sprache. Sprache ist mein Leben, und alles Leben ist Literatur. Immer Ihr Einverständnis, von dem alles abhängt, vorausgesetzt, möchte ich sagen, daß mein Text großes handwerkliches Können verrät, er ist kunstvoll auf der einen, kunstlos auf der anderen Seite. Mit beherrschter Sprache beherrsche ich die Kunst der kunstvollen Kunstlosigkeit; ein Kunststück, den Beifall eines Varietépublikums wert! Die Wut hinter den Zeilen, ich drücke sie ungeheuer sanft aus, ungemein sensitiv; die Wut in diesem Text hat Umgangsformen, sie ist höflich und gut angezogen. – Ein ganz leiser Text, eine musikalische Prosa, von Tempo und Präzision, Distanz und Kühle bestimmt, eine bis aufs Äußerste verletzliche Sprache. Auch Inhalte aus Mythologie und Heimatliteratur fehlen nicht. Und Momente großer Symbolik: wie ich mit den Wörtern ›VERTRETER‹ und ›VERRÄTER‹ kritisch experimentierend umgehe, sie, auf Seite drei zum Beispiel, vertausche, Verräter statt Vertreter, das verdient Anerkennung.

Stringenz! Atmosphäre! Sprache ist immer auch das, was man zwischen den Fingern zerbröseln kann. Die Atmosphäre in meinem Text wage ich als ungemein dicht zu bezeichnen, ungemein dichte Atmosphäre! Mehr noch: was nun die Beschreibung der Stadt in meiner Prosa anlangt, mein dadurch vermitteltes Verhältnis zur heimatlichen Urbanität, so behaupte ich – der Herr Vorsitzende möge mich jetzt nicht durch Applaus unterbrechen –, daß es sich um einen HÖCHST EROTISCHEN TEXT handelt, eine hoch erotische Beziehung zur Stadt, höchst erotisch umgesetzt, mit unerhörter Intensität sprachlich bewältigt. Erotik, Notwendigkeit von Satz zu Satz, mit unheimlicher Spannung aufgebaut, bis hin zu dem einen Satz, der den Aufwand rechtfertigt, der in jeder Hinsicht einen Höhepunkt darstellt: »Ich errege mich.« Ich errege mich! Das ist, geradeheraus gesagt, verdammt gut gemacht, von meinem Manuskript zwischendurch aufsehend, kann ich Ihnen jetzt schon die Begeisterung an den Mienen ablesen. Das ist Heimatliteratur und mehr als Heimatliteratur. Gewiß, manche von Ihnen werden bei dieser schmerzhaften Einkehr an Else Lasker Schüler denken, andere wieder mögen an Innerhofer Franz oder Proust erinnert sein oder – wenn Sie an den Satz »Plötzlich war das Haus wieder bewohnt« denken – an Thomas Wolfes »Schau heimwärts, Engel«. Wie auch immer, ich bin vom LEBEN angeregt und nicht von LITERATUR.

Wäre meine Prosa aber nur erotisch, sie wäre nichts. Meine Figuren haben auch HUMOR. (Erotik und Humor, Eigenschaften einer Erzählung, die die Jury zu schätzen wissen wird, angeleitet von einem trefflichen Preisrichter, der nicht bereit ist, unter seinem Niveau zu lachen. Ich sehe, Sie lachen; das beweist Ihr Kunstverständnis.) Der Humor in diesem Text, die kunstvolle Tragik-Komik, sie sind gebündelt und versinnbildlicht in der Figur des dummen August, der Sie vielleicht an Marcel Marceau denken lassen wird. Und schier zum Totlachen ist die Szene auf Seite vier, wo ich eine ganz alltägliche Begebenheit schildere, nämlich, wie der Held der Geschichte Spaghetti ißt, die Spaghetti-Szene – dieser erzählerische Dreh, werden Sie sagen, das ist einfach hervorragend.

Sie fragen, wie dieser Text entstanden ist. Nun, ich schrieb, meine Damen und Herren. Ach, man schreibt, weil man muß, weil man einen Ausweg will, man schreibt, um aufzusteigen; man schreibt rücksichtslos. Man beaufsichtigt sich selbst mit der Peitsche, man zerfleischt sich am Schreibtisch beim geringsten Widerstand. Allein, was zählt, ist der fertige, hier vor Ihnen, hohe Jury, und vor den Gaffern auf den Rängen vorgelesene Text.

Am Hochziehen der Augenbrauen mancher von Ihnen, am plötzlich einsetzenden Gekritzel auf Ihren Unterlagen, geschätzte Preisrichter, erkenne ich, daß Beginn und Schluß dieser Prosa Sie an Kafka erinnern. Möglich, rufe ich Ihnen zu!, doch gegen das Riesengebirge Kafka bin ich nur ein Maulwurfshügel. Trotzdem: man sage nicht, dieser Text habe den Preis nicht verdient. Im übrigen will ich keine Kenntnisse verbreiten, ich will nur – und habe es jetzt zu erwarten – Ihr Urteil; Wert oder Unwert, Triumph oder Niederlage, ich sagte es schon. Ich lese nur vor – auch wenn es früher Vormittag ist, auch wenn der Regen unvermindert anhält, ich lese vor; auch Ihnen, hohe Damen und Herren von der Jury, habe ich nur vorgelesen.

Zu den Beiträgen

Peter Bichsel, Wo wohnen wir?: Aus dem Band »Geschichten zur falschen Zeit« (Luchterhand Verlag).

Thomas Bernhard, Der deutsche Mittagstisch: »Die Zeit«, 29. 12. 1978.

Volker von Törnes ›Stilübungen‹ wurden für diesen Band geschrieben.

Herbert Marcuse, Die Permanenz der Kunst: aus dem gleichnamigen Band (Hanser Verlag).

Peter Weiss, Géricaults Auflehnung (Titel von den Herausgebern): aus dem zweiten Band der »Ästhetik des Widerstands« (Suhrkamp Verlag).

Ernst Meister, Drei Gedichte: Aus »Wandloser Raum« (Luchterhand).

Günter Kunert, Geschichten vom Aufhören der Geschichte (Titel von den Herausgebern): Aus »Camera obscura« (Hanser Verlag).

Reinhard Lettau, Die Fetichisierung des Neuen: »Die Zeit«, 11. 5. 1979.

Nicolas Born, Drei Gedichte: Aus »Gedichte« (Rowohlt Verlag).

Alfred Andersch, Philosophisches Märchen: Aus der Zeitschrift »Kontext 2« (AutorenEdition).

Peter Härtling, Die Fragenden: Aus der Anthologie »Deutschland, Deutschland« (Residenz Verlag).

Helga M. Novak, Versuchsfeld: Aus »Margarete mit dem Schrank« (Rotbuch Verlag).

Karl Krolow, Das Fürchten geht weiter: Aus der Anthologie »Deutschland, Deutschland« (Residenz Verlag).

Bettina Wegner, Eh noch die Eiszeit ausbricht: Aus »Wenn meine Lieder nicht mehr stimmen« (Rowohlt Verlag).

Adolf Endler, Die Wirtin vom Feuchten Eck: Erstdruck.

Frank-Wolf Matthies, Die Mauer: Aus »Morgen« (Rowohlt Verlag).

Rainer Kirsch, Zwei Gedichte: Aus »Auszog das Fürchten zu lernen« (Rowohlt Verlag).

Wolfdietrich Schnurre, Vom Wert und Nutzen der Philosophie: Aus »Der Schattenfotograf« (List Verlag).

Günther Anders, Politische Humoreske: Aus »Kosmologische Humoreske« (Suhrkamp Verlag).

Wolf Biermann, Lied vom Roten Stein der Weisen: Aus »Preußischer Ikarus« (Verlag Kiepenheuer & Witsch).

Adolf Muschg, Eine Frage nach Deutschland: »Frankfurter Rundschau«, 3. 7. 1979.

Günter Herburger, Platons Verdacht: Aus »Orchidee« (Luchterhand Verlag).

Wolfgang Hermann Körner, Zwei Geschichten aus Ägypten: Erstdruck.

Ilse Aichinger, Findelkind: Aus »Verschenkter Rat« (S. Fischer Verlag).

Christoph Meckel, Es ist der Wind . . .: Aus »Ausgewählte Gedichte« (Athenäum Verlag).

Katja Behrens, Liebe: Aus dem Erzählungsband »Die weiße Frau« (Suhrkamp Verlag).

Ernst Jandl, Zweimal wovon? (Titel von den Herausgebern): Aus »die bearbeitung der mütze« (Luchterhand Verlag).

Renate Rasp, Drei Gedichte: Aus »Junges Deutschland« (Hanser Verlag).

Helmut Heißenbüttel, Verschiedene Herbste: Aus »Eichendorffs Untergang und andere Märchen« (Verlag Klett-Cotta).

Ingomar von Kieseritzky, Sammeln (Titel von den Herausgebern): Ausschnitt aus der Prosa »Trägheit« (Verlag Klett-Cotta).

Peter Rühmkorf, Ich butter meinen Toast von beiden Seiten: Aus »Strömungslehre 1« (Rowohlt Verlag).

Fritz J. Raddatz, Bruder Baader? (gekürzt): »Die Zeit«, 13. 10. 1978.

Hans Magnus Enzensberger, Herolds System (Titel von den Herausgebern; gekürzt): Aus Nummer 56 der Zeitschrift »Kursbuch«.
Kurt Bartsch, Zwei Gedichte: Erstdruck.
Luise Rinser, Vaterland? Mutterland!: Aus der Anthologie »An zwei Orten zu leben« (AutorenEdition bei Athenäum).
Angela Sommer, Zwei Gedichte: Aus »Sarah bei den Wölfen« (Suhrkamp Verlag).
Ror Wolf, Einige Abende bis fünf Uhr morgens: Erstdruck.
Werner Kofler, Ein Bericht für eine Jury: Erstdruck.

Zu den Fußnoten:

Volker Brauns Mitteilung über den »Irrtum vom Amt« nach »Auskunft. Neueste Prosa aus der DDR« (AutorenEdition). – *Christian Enzensbergers* Grille zirpt im Schlußsatz seines Briefes zum achtzigsten Geburtstag von Herbert Marcuse (in »Akzente« 3/78). – *Elke Erbs* Bemerkung zur Natur nach der Anthologie »Deutschland, Deutschland« (Residenz Verlag). – *Peter Fischers* vergeblicher Versuch, sich seiner Mutter zu nähern: in der Zeitschrift »Litfaß«, Juni 1978. – *Ludwig Harigs* erwägenswerte Bemerkung über die (selbstverständlich nur sprachliche) Verkommenheit der Germanisten nach »Akzente« (1,2/1979). – Die Bemerkung von *Rolf Hochhuth* findet sich in einem Gespräch mit Hans Jürgen Fröhlich, in der Anthologie »Nachrichten vom Zustand des Landes« (Anrich Verlag). – Das Gedicht von *Karin Kiwus* steht in ihrem Band »Angenommen später« (Suhrkamp Verlag). – Die Sätze von *Alexander Kluge* wurden von ihm anläßlich der Verleihung des Fontane-Preises in den deutschen Wind gesprochen; nach der Zeitschrift »Freibeuter« (1/1979). – *Oskar Negts* Gedanken über (u. a.) unser Verhältnis zu den Müttern: In einer Besprechung von Peter Brückners »Versuch, uns und anderen die Bundesrepublik zu erklären«, »Frankfurter Rundschau«, 26. 5. 1979. – Die Sätze über Pechschwanz und Goldmarie von *Oskar Pastior* in »Tangopoem und andere Texte (Verlag Literarisches Colloqium). – *Lutz Rathenow*, Narziß: In »Litfaß«, April 1979. – *Christa Reinig*, An einer Brücke (aus einer Serie neuer ›Marterln‹): In der saarländischen Zeitschrift für Literatur und Graphik, »Versuche«, März 1979. – *Gerlind Reinshagen*, Zwei Dichter an der deutschen Grenze, heimkehrend: Aus der Anthologie »Deutschland, Deutschland« (Residenz Verlag). – Die Sottise über die Sehnsucht der Genossen nach Currywurst von *Mike Schwarz* in seinem Band »Zenotaph« (Verlag neue kritik). – Hans-Jürgen Syberbergs Bemerkungen sind der Schluß seines Einleitungsessays – »Die Kunst als Rettung aus der deutschen Misere« – zu seinem Buch »Hitler, ein Film aus Deutschland« (Rowohlt Verlag). – *Hannelies Taschaus* Gedicht entnahmen wir, zur Ergänzung von Jandl, der Zeitschrift »Versuche« 11/1978. – *Ralf Thenior*, Die Hohloten: in der Hamburger Literaturzeitschrift »Boa Vista«, Juni 1978. – *Martin Walsers* Gebrauchsanweisung für Rechtfertigungsmaschinen in seinem Band »Grund zur Freude« (Eremitenpresse). – Die Kollegenkritik von *Urs Widmer*, anläßlich des ›Lektorenaufstands bei Suhrkamp‹ setzen wir hier her, weil selbstverständlich jeder Autor denkt, *er* sei anders: In der Anthologie »Nach dem Protest« (Suhrkamp Verlag). – *Peter Paul Zahls* Grabstein für Satiriker und (einen Teil) Bürokraten in »Litfaß« 11/1978.

Allen Autoren und Rechtsinhabern dankt der Verlag für die Druckgenehmigung.

1978 erschienene Bücher deutschsprachiger Autoren

Die Bibliographie, zusammengestellt von Renate Krüger und Jettchen Gevert, vermerkt nur Neuerscheinungen oder Sammelbände, die neue Texte enthalten. Für die Anthologien (am Schluß des alphabetischen Autorenverzeichnisses) gilt das gleiche Prinzip.

Egon Aderhold, Traumtänze. Roman. Rudolstadt (Greifen)
Waltraud Ahrndt, Atempause. Roman. Halle (Mitteldeutscher)
Ilse Aichinger, Verschenkter Rat. Gedichte. Ffm. (S. Fischer)
Fridolin Aichner, Weil das Böse herzlich bleibt. Verse. Wuppertal (Peintner)
Gertrud Albrecht, Anneli. Alemann. Ged. Lahr (Schauenburg)
Elisabeth Alexander, Brotkrumen. Gedichte. Luxemburg (Sisyphus)
Elisabeth Alexander, Ich will als Kind Kind sein. Erzählung. Münster (Kaktus)
Elisabeth Alexander, Die törichte Jungfrau. Roman. Köln (Braun)
Dirk Alvermann, Ich liebe Dich. Erzählung. Rostock (Hinstorff)
Jürg Amann, Verirren. Roman. Aarau (Sauerländer)
Jean Améry, Charles Bovary, Landarzt. Stuttgart (Klett-Cotta)
Erich Arendt, Zeitsaum. Gedichte. Leipzig (Insel)
H. C. Artmann, Nachrichten aus Nord und Süd. Salzburg (Residenz)
Rose Ausländer, Es bleibt noch viel zu sagen. Texte. Köln (Braun)
Rose Ausländer, Mutterland. Gedichte. Köln (Braun)
Guido Bachmann, Die Parabel. Basel (Lenos)
Jörg von Bannsberc-Freiheit, Wahrhaftige Anatomie eines normalen Wahnsinnigen. Weinheim (Beltz)
Hans Dieter Baroth, Aber es waren schöne Zeiten. Roman. Köln (Kiepenh. & W.)
Horst Bastian, Gewalt und Zärtlichkeit. Roman. Berlin (Neues Leben)
Wolfgang Bauer, Die Sumpftänzer. Dramen, Prosa, Lyrik. Köln (Kiepenh. & W.)
Thommie Bayer, Tomtom C. Breuer, Wir, die wir mitten im Leben stehen, mit beiden Beinen in der Scheiße. Trier (édition trèves)
Rudolf Bayr, Der Betrachter. Roman. Salzburg (Residenz)
Renate Beck, Die Lieder der Petula Clark. Erzählung. Bern (Sinwel)
Jürgen Beckelmann, Lachender Abschied. Roman. Köln (Braun)
Georg B. Becker, Diesseits & Jenseits. Gedichte. Göttingen (Dionysos)
Jurek Becker, Schlaflose Tage. Roman. Ffm. (Suhrkamp)
Dieter Beckmann, er lenkte im silberlot den magnetischen fluß. gedichte. Berlin (Fietkau)
Otto F. Beer, Ich-Rodolfo-Magier. Roman. Wien (Zsolnay)
Katja Behrens, Die weiße Frau. Erzählungen. Ffm. (Suhrkamp)
Franco Beltrametti, Ein anderes Erdbeben. Basel (Nachtmaschine)
Gottfried Benn, Briefe. III. Bd.: Briefe an Paul Hindemith. München (Limes)
Uwe Berger, Leise Worte. Gedichte. Berlin (Aufbau)
Klaus Bernarding, Glückauf und nieder. Prosa. Hann. Münden (Gauke)
Thomas Bernhard, Ja. Ffm. (Suhrkamp)
Thomas Bernhard, Immanuel Kant. Komödie. Ffm. (Suhrkamp)
Thomas Bernhard, Der Atem. Salzburg (Residenz)
Thomas Bernhard, Der Stimmenimitator. Ffm. (Suhrkamp)
Peter J. Betts, Anpassungsversuche. Gümligen (Zytglogge)
Wolfgang Beutin, Unwahns Papiere. Roman. Fischerhude (Atelier i. Bauernhaus)
Gerd Bieker, Eiserne Hochzeit. Berlin (Neues Leben)
Peter Biele, Tod im Kostüm. Komödiantengeschichte. Halle (Mitteldeutscher)
Manfred Bieler, Der Kanal. Roman. Hamburg (Knaus)
W. Biermann, Preußischer Ikarus. Lieder, Balladen, Ged., Prosa. Köln (K. & W.)
Andreas Birkner, Heinrich, der Wagen bricht. Roman. Wien (Europa)
Gerald Bisinger, Poema ex Ponto II und andere Gedichte. Berlin (Hoffmann)
Wolfg. Bittner, Der Aufsteiger. Ffm. (Ed. Büchergilde i. d. EVA)

Silvio Blatter, Zunehmendes Heimweh. Roman. Ffm. (Suhrkamp)
Querschnitte aus Interviews, Aufsätzen und Reden von Heinrich Böll. Hg. Renate Matthaei, Viktor Böll. Köln (Kiepenheuer & Witsch)
Hans Boesch, Der Kiosk. Roman. Zürich (Artemis)
Nicolas Born, Gedichte 1967-1978. Reinbek (Rowohlt)
Manfr. Bosch, Joach. Hoßfeld, Geschichten aus d. Provinz. München (Damnitz)
Ilse Braatz, Betriebsausflug. Roman. Münster (Frauenpolitik)
Thomas Brasch, Rotter. Eine deutsche Biographie. Ffm. (Suhrkamp)
Volker Braun, Im Querschnitt. Gedichte, Prosa, Stücke, Aufsätze. Halle (Mitteld)
Volker Braun, Training des aufrechten Gangs. Gedichte. Halle (Mitteldeutscher)
Rudolf Braune, Der Kampf auf der Kille. Geschichte einer Woche. Bln (Neues L.)
Joseph Breitbach, Das blaue Bidet. Roman. Ffm. (S. Fischer)
Joseph Breitbach, Feuilletons zu Literatur und Politik. Pfullingen (Neske)
Günter Brödl, Click Clack. Liebesgeschichten. Kaufbeuren (Pohl'n Mayer)
Dieter Brümmer, Urwaldmusik. Prosa und Lyrik. Scheden (Dittmer)
Elfriede Brüning, Partnerinnen. Erzählungen. Halle (Mitteldeutscher)
Hans Brunner, Außer der Sonne bewegt sich hier nichts. Aarau (Sauerländer)
Christina Brunner, Aglaia. Erzählungen. Gümligen (Zytglogge)
Günter de Bruyn, Im Querschnitt. Prosa, Essay, Biographie. Halle (Mitteldtsch.)
Günter de Bruyn, Märkische Forschungen. Erzählung. Halle (Mitteldeutscher)
Werner Bucher, Die Wand. Roman. Aarau (Sauerländer)
Hans Bütow, Die Harfe im grünen Feld. Roman. Düsseldorf (Claassen)
Hans Bulla, Landschaft mit langen Schatten. Aarau (Sauerländer)
Annemarie Buntrock, Und läßt das Saumtier trinken. Ged. Ffm. (R. G. Fischer)
Erika Burkart, Augenzeuge. Gedichte. Zürich (Artemis)
Jörg Burkhard. In Gauguins alten Basketballschuhen. Ged. Hdbg. (Wunderhorn)
Herbert Burkhardt, D'alt Märtscheese vrzellt. Alemann. Mundart. Lahr (Schauenb.)
M. Buselmeier, Nichts soll sich ändern. Gedichte. Heidelberg (Das Wunderhorn)
E. Caramelle, J. Troma schläft heute. Marginalien. Ffm. (Patio)
Reto Caslano, Geschichten eines Mannes, der trotzdem nicht aus dem Fenster sprang. St. Gallen (Gschwend)
Ingo Cesaro, Ausweitungen. Gedichte. Scheden (Dittmer)
Ingo Cesaro, Amortisation. Ges. Werke I. Trier (édition trèves)
Manfred Chobot, Waunst in Wean. Wiener Mundarttexte. München (Relief)
Peter O. Chotjewitz, Die Herren des Morgengrauens. Roman. Berlin (Rotbuch)
Alfred Christoph, Gedichte. Mainz (Hase & Koehler)
Hanns Cibulka, Das Buch Ruth. Erzählung. Halle (Mitteldeutscher)
Johannes Conrad, Die Nacht in der es klopfte. Geschichten. Berlin (Eulenspiegel)
Lucia Cors, Im Gefieder der Lerche. Gedichte. Lahnstein (Calatra Press)
Edwin Wolfram Dahl, Außerhalb der Sprechzeit. Gedichte. Esslingen (Bechtle)
Kurt David, Die Überlebende. Novelle. Berlin (Neues Leben)
Klaus Dede, An der Jade. Ein Heimatbuch. Fischerhude (Atelier im Bauernhaus)
Volker W. Degener, Einfach nur so leben. Erzählungen. Stuttgart (DVA)
Ido Delnon, Gedichte. Bern (Stauffacher)
Gerhard Denecke, Der magische Kaufmann. Duisburg (Gilles & Francke)
Rolf Deppeler, Harold der Kümmerer. Roman. Gümligen (Zytglogge)
Lev Detela, Imponiergebärden des Herrschers. Wien (Rhombus)
Uwe Dick, Ansichtskarten aus Wales. Erfahrungstexte. München (Ehrenwirth)
Dieter, Was wird aus mir werden – ich hoffe ein Mensch. Tagebuch. Bln. (Parallel)
Walther Matthias Diggelmann, Filippinis Garten. Roman. Zürich (Benziger)
Hugo Dittberner, Draußen im Dorf. Erzählungen. Reinbek (Rowohlt)
Klaus Döhmer, Leda & Variationen. Sartiren und Parodien. Trier (édition trèves)
Ottokar Domma, Ottokar der Gerechte. Berlin (Eulenspiegel)
Milo Dor, Alle meine Brüder. Roman. München (Bertelsmann)
Tankred Dorst, Klaras Mutter. Roman. Ffm. (Suhrkamp)
Heike Doutiné, Hamburg, fröhlich und ungeniert. Hamburg (Christians)
Ingeborg Drewitz, Gestern war Heute. Roman. Düsseldorf (Claassen)

R. Dürr, Ist Krosigk ein Faschist? Begegn. m. Leuten v. nebenan. Bln. (Ed. d. 2)
Friedrich Dürrenmatt, Lesebuch. Zürich (Arche)
Friedrich Dürrenmatt, Stoffe I. Zürich (Arche)
Dieter G. Eberl, Die Rasierklingen meines Großvaters. Erz. Köln (Braun)
Volker Ebersbach, Der Sohn des Kaziken. Erzählungen. Berlin (Neues Leben)
Gabriele Eckart, Tagebuch. Gedichte. Berlin (Neues Leben)
Helmut Eckl, wenna amoi kummt, bairische Texte. Feldafing (Brehm)
Ernst Eggimann, Henusode. Gedichte. Zürich (Arche)
Albert Ehrismann, Schmelzwasser. Gedichte. Rorschach (Nebelspalter)
Gerd-Peter Eigner, Golli. Roman. Stuttgart (DVA)
Helmut Eisendle, Daiman & Veranda. Erlangen (Renner)
Gerhard Eisenkolb, Als die Sonne unterging. Roman. Wien (Molden)
Herbert Emmerstorfer, Rund um an Mostkruag. Ged. Wels (Welsermühl)
Agnes Engel, Gesammelte Erzählungen. Langwies (Engel-Reich)
Hellmuth Otto Engelhardt, Die Entwicklungsgeschichte der Welt . . . Ffm. (Patio)
Hans Magnus Enzensberger, Der Untergang der Titanic. Komödie. Ffm. (Suhrk.)
Elke Erb, Der Faden der Geduld. Kurze Prosa. Berlin (Aufbau)
David Erlay, Geschieden. Erzählung. Fischerhude (Atelier im Bauernhaus)
Ursula Erler, Lange Reise Zärtlichkeit. Romane, Erz. Köln (Braun)
Hans Erni, Gedanken und Gedichte. Frauenfeld (Huber)
Fritz Erpenbeck, Der Tüchtige. Roman. Berlin (Der Morgen)
John Erpenbeck, Arten der Liebe. Lyrik. Halle (Mitteldeutscher)
Klaus Esch, Chacmools Schöpfung. Gedichte. Berlin (Bärenpresse)
Harald Eschenburg, Schlagseite. Roman a. d. Weimarer Republik. Hambg. (Knaus)
Ludwig Fels, Ich war nicht in Amerika. Gedicht. Erlangen (Renner)
Ludwig Fels, Mein Land. Geschichten. Neuwied (Luchterhand)
Peter Feraru, Nicht das ganze Leben! Prosa, Ged. Scheden (Dittmer)
Hubert Fichte, Wolli Indienfahrer. Frankfurt am Main (S. Fischer)
Ulf Fiedler, Der Mond im Apfelbaum. Geschichten. Bremen (Hauschild)
Wolfgang Fietkau, Schwanengesang auf 1848. Reinbek (Rowohlt)
Siegfried Flach, Collagen. Erz. Köln (Braun)
Holger Fock, Mauerläufer. Gedichtzyklus. Stuttgart (Winterhueter)
Gerold Foidl, Der Richtsaal. Roman. Olten (Walter)
D. Forte, Jean Henry Dunant od. Die Einführung d. Zivilisation. Ffm. (S. Fischer)
Karlhans Frank, Was macht der Clown das ganze Jahr? Pforzheim (Harlekin Pr.)
Karlhans Frank, Willi kalt und heiß. Roman. Weinheim (Beltz)
Karl Freitag, Der Hetzer. Gesch. Fischerhude (Atelier im Bauernhaus)
Otto Frei, Zu Vaters Zeit. Roman. Zürich (Arche)
Friedrich Fricke, Die unsichtbaren Lichter. Ged. Ffm. (R. G. Fischer)
Erich Fried, 100 Gedichte ohne Vaterland. Berlin (Wagenbach)
Herbert Friedmann, Zwischenstationen. Roman. Trier (édition trèves)
Fritz Rudolf Fries, Mein spanisches Brevier. Reisenotizen. Rostock (Hinstorff)
Uwe Friesel, Am falschen Ort. Erzählungen. Königstein (Autoren Edition)
Dieter Fringeli, Ich bin nicht mehr zählbar. Gedichte. Zürich (Arche)
Max Frisch, Triptychon. Drei szenische Bilder. Ffm. (Suhrkamp)
Barbara Frischmuth, Amy oder Die Metamorphose. Roman. Salzburg (Residenz)
Gerhard Fritsch, Gesammelte Gedichte. Salzburg (Müller)
Marianne Fritz, Die Schwerkraft der Verhältnisse. Ffm. (S. Fischer)
Walter Helmut Fritz, Sehnsucht. Gedichte, Prosaged. Hamburg (Hoffmann & C.)
Hans Jürgen Fröhlich, Schubert. Biographie. München (Hanser)
Kurt Früh, Braun und blau. Gedichte. Zürich (Pendo)
Gerd Fuchs, Ein Mann fürs Leben. Erzählung. Königstein (Autoren Edition)
Christian Martin Fuchs, Verzweigungen. Lyrik. Wien (Rhombus)
Günter Bruno Fuchs, Ges. Fibelgeschichten und letzte Gedichte. Erinnerungen an
    Naumburg. München (Hanser)
Franz Fühmann, Der Geliebte der Morgenröte. Erzählungen. Rostock (Hinstorff)
Franz Fühmann, Fräulein Veronika Paulmann . . . Essays. Rostock (Hinstorff)

Roland Gallusser, Die Einsamkeit des Landarztes. Erz. Zürich (Orell Füssli)
Christoph Geiser, Grünsee. Roman. Zürich (Benziger)
Peter-Anton Gekle, Gschwätzwerk. Schwäb. Aufzeichng. Ostfildern (Schwabenv.)
Wilhelm Genazino, Die Vernichtung der Sorgen. Roman. Reinbek (Rowohlt)
Roswitha Geppert, Die Last, die du nicht trägst. Roman. Halle (Mitteldeutscher)
Alex Gfeller, Marthe Lochers Erzählungen. Roman. Basel (Lenos)
Manfred Gilgien, Straßen-Tango. Basel (Nachtmaschine)
Friedrich Glauser, Matto regiert. Roman. Zürich (Arche)
Friedrich Glauser, Der Chinese. Roman. Zürich (Arche)
Hermann Glungler, Vermutungen. Ged. Nürnberg (Kyrenia Press)
Hans-Jürgen Goeman, Ver-s-stimmungen. Gedichte. Scheden (Dittmer)
Gunter Göring, Time shifting. Wiesbaden (Betzel)
Günter Görlich, Autopanne. Erzählung. Berlin (Neues Leben)
Albrecht Goes, Lichtschatten du. Ged. aus 50 Jahren. Ffm. (S. Fischer)
Anton Gössinger, Gegenüberstellungen. Krems (Faber)
Alfred Goldmann, Die Wirklichkeit d. Tobias P. München (Steinhausen)
Alfred Graber, Merkmale d. Liebe. Gesch. v. Hörensagen. Frauenfeld (Huber)
Günter Grass, Denkzettel. Polit. Reden u. Aufsätze. Neuwied (Luchterhand)
Uwe Greßmann, Sagenhafte Geschöpfe. Lyrik. Halle (Mitteldeutscher)
Fritz Grossenbacher, D Froueverschwörig. Elgg (Volksverlag)
Christiane Grosz, Scherben. Gedichte. Berlin (Aufbau)
Reinh. P. Gruber, Alles über Windmühlen. Essay. Dudweiler (AQ)
Uwe Grüning, Auf der Wyborger Seite. Berlin (Union)
Josef Carl Grund, So endete Eden. Geschichten. Stuttgart (Spectrum)
Antonia Gubser, Leute unterwegs. Gedichte. Zürich (Pendo)
Erika Guetermann, Von Alpha bis Romeo. Ged. Lahnstein (Calatra Press)
Hans Guggenbühl, Alle Wege führen zurück. Zürich (Schw. Vlgs.haus)
Georg Gunske, Verstrickungen. Roman. Halle (Mitteldeutscher)
Uwe-Michael Gutzschhahn, Windgedichte. Gedichte. Köln (Braun)
Alex. Xaver Gwerder, Wenn ich nur wüßte, wer immer so schreit. Zürich (Orte)
Peter Hacks, Das Windloch. Das Turmverlies. Erz. Berlin (Eulenspiegel)
Peter Hacks, Das Jahrmarktsfest zu Plundersweilern. Rosi träumt. Düsseld. (Cl.)
Willi Häckel, Über den Händen wohnen. Gedichte. Zürich (Spektrum)
Hans-J. Haecker, Begegnung. Gedichte. München (Mock)
Gottfried Hänisch, Sabine. Erzählung. Berlin (Union)
Peter Härtling, Hubert oder Die Rückkehr nach Casablanca. Roman. Darmstadt
   (Luchterhand)
Ted Häusler, Nostalgie. Bern (Benteli)
Rudolf Hagelstange, Ausgew. Gedichte. München (List)
Hans Heinz Hahnl, Die Einsiedler des Anninger. Roman. Wien (Europa)
Heinz-Jürgen Harder, gedichte aus dem irrenhaus. Berlin (Fietkau)
Ludwig Harig, Rousseau. Roman. München (Hanser)
Lukas Hartmann, Pestalozzis Berg. Roman. Gümligen (Zytglogge)
Harald Hartung, Augenzeit. Gedichte. Pfullingen (Neske)
Brigitte Hasenöhrl, Brigitte. Wien (Europ. Vlg.)
Ilona Haustein, Erna füttert Eichhörnchen. Ged. Andernach (Atelier)
Heinz Heger, Luusch ens, wat et Johr verzällt! St. Goar (Vogt)
Heinz-Alb. Heindrichs, Zikadenmusik. Ged. u. No-tationen. Gelsenk. (Ed. Xylos)
Jutta Heinrich, Das Geschlecht der Gedanken. München (Frauenoffensive)
Hartmut Heinze, Berliner Elegien. Ged. Berlin (Bärenpresse)
Hartmut Heinze, Indischer Weg. Ged. u. Prosa. Berlin (Bärenpresse)
Helmut Heißenbüttel, Eichendorffs Untergang u. a. Märchen. Stgt. (Klett-Cotta)
Karlheinz Heldt, Der Mann, der eine Ratte laufen ließ. Lyrik. Köln (Ellenberg)
Peter Henisch, Der Mai ist vorbei. Roman. Ffm. (S. Fischer)
Gerd Henniger, Bei lebendigem Leib. Gedichte. Berlin (Henssel)
Hartmut v. Hentig, Paff, der Kater od. Wenn wir lieben. Erz. München (Hanser)
Ernst Herhaus, Der zerbrochene Schlaf. Roman. München (Hanser)

Gerrit Herlyn, Unnerwegens van Lüttje Millm na Groothusen. Weener (Risius)
Hans Herlin, Tag- und Nachtgeschichten. München (Droemer)
Hans O. Hermann, Ich bin im Bild. Collagenlyrik. Scheden (Dittmer)
Werner Herzog, Vom Gehen im Eis. München (Hanser)
Katharina Hess. Ein herbes Kraut. Gesch. a. Graubünden. Chur (Terra-Grischuna)
Franz Hiesel, Die gar köstlichen Folgen einer mißglückten Belagerung. Hörspiel.
    Stuttgart (Reclam)
Edgar Hilsenrath, Nacht. Roman. Köln (Braun)
Ernst Hinterberger, Wer fragt nach uns. Gesch. Wien (Europa)
Rolf Hochhuth, Eine Liebe in Deutschland. Reinbek (Rowohlt)
Karl Hochmuth, Die griechische Schildkröte u. a. Erz. Würzburg (Echter)
Andreas Höfele, Die Heimsuchung des Assistenten Jung. München (Piper)
Walter Höllerer, Alle Vögel alle. Komödie. Ffm. (Suhrkamp)
Willem von Hörsten, Ein Dach überm Kopf. Roman. Fischerhude (Atelier)
Bernhard Hoffmann, Das Heim. Roman. Trier (édition trèves)
Ludwig Hohl, Bergfahrt. Ffm. (Suhrkamp)
Franz Hohler, Darf ich Ihnen etwas vorlesen? Pfaffenweiler (Pf. Presse)
Joachim S. Hohmann, Ian Young, Schwule Poesie. Ged. Lollar (Achenbach)
Joachim S. Hohmann, Von den Monstren. Texte. Darmstadt (ms edition)
Michael Holzner, Treibjagd. Hamburg (Hoffmann und Campe)
Bodo Homberg, Versteckspiel. Roman. Berlin (Union)
Arthur Honegger, Der Schulpfleger. Roman. Frauenfeld (Huber)
Rainer Horbelt, Die Zwangsjacke. Prosa. Köln (Braun)
Rainer Horbelt, Geschichten vom Herrn Hintze. Köln (Braun)
Hans Horn, Narziß und Tausendzünder, Romanessay. Scheden (Dittmer)
Eberhard Horst, Südliches Licht. Düsseldorf (Claasen)
Margaretha Huber, Rätsel. Ffm. (Roter Stern)
Hans Dieter Hüsch. Den möcht' ich seh'n . . . Zg. Reinh. Hippen. Köln (Satire)
R. Hugh, Zuflucht. 15 Kurzgeschichten. Schwäbisch Hall (Product)
Roland Hunger, Chicago Gettolyrik. Gedichte. Friedrichsdorf (Hartmann)
Dieter Huthmacher, Wenn es Frühling wird, dann . . . Düsseldorf (Eremiten)
Kurt Hutterli, Das Matterköpfen. Stück. Aarau (Sauerländer)
Karl Imfeld, Dischtlä sind ai Bliämä. Gedicht. Sarnen (Nussbaum)
Maridl Innerhofer, In fimf Minutn zwelfe. Mundartged. Bozen (Athesia)
Benita v. Irmer, Michael und Monika. Roman. Hann. Münden (Gauke)
Ernst Iselin, Mym Maa sys Herz. Zweiakter. Elgg (Volksvlg.)
Vintila Ivanceanu, Sodom. Wien (Rhombus)
Hartmut Jabs, Anleitung zur Zerstörung des Panzers. Ged. Rastatt (Fox Prod.)
Nino Jacusso, Nordlicht. Drahtgeschichten. Solothurn (Anatol)
Peter Jakubeit, Die Krallenwurzel, Roman. Rostock (Hinstorff)
Urs Jaeggi, Brandeis. Roman. Neuwied (Luchterhand)
Adolf Jagenteufel, Weinlondroas. Ged. i. niederöster. Mundart. Wels (Welserm.)
Ernst Jandl, Die Bearbeitung der Mütze. Gedichte. Neuwied (Luchterhand)
Robert Jarowoy, Mit Geduld und Energie, irgendwann und irgendwie. Gesch. u.
    Märchen. Hbg. (Association)
Bernd Jentzsch, Quartiermachen. Gedichte. München (Hanser)
Hanna Johansen, Die stehende Uhr. Roman. München (Hanser)
Friedrich Georg Jünger, Grüne Zweige. Erinnerungen. Stuttgart (Klett-Cotta)
Regine Juhls, Lippen an die Wand. Lyrik. Köln (Braun)
Peter Stephan Jungk, Stechpalmenwald. Ffm. (S. Fischer)
Hanne F. Juritz, Sieben Wunder. Ged. Dreieich (pawel pan)
Hanne F. Juritz, Der Paul. Texte. Dreieich (pawel pan)
Hanne F. Juritz, Ein Wolkenmaul fiel vom Himmel. Ged. Köln (Braun)
Lisa Kahn, Feuersteine. Gedichte. Zürich (Strom)
Ingeborg Kaiser, Die Ermittlung über Bork. Aarau (Sauerländer)
Käthe Kamossa, Es. Gedichte. Darmstadt (Bläschke)
Walter Kappacher, Rosina. Erz. Stuttgart (Klett-Cotta)

Adel Karasholi, Umarmung der Meridiane. Lyrik. Halle (Mitteldt.)
Urs Karpf, Die Nacht des großen Kometen. Roman. Gümligen (Zytglogge)
Martin v. Katte, Der Nebelstein. Ged. Stuttgart (Klett-Cotta)
Hugo Ernst Käufer, So eine Welle lang. Gelsenkirchen (Xylos)
Stephan Chr. Kayser, Wo dieses Land ist. Gesch. München (Ehrenwirth)
Agathe Keller, Was ist. Roman. Aarau (Sauerländer)
Jochen Kelter, Zwischenbericht. Ged. Zürich (Spektrum)
Walter Kempowski, Aus großer Zeit. Roman. Hamburg (Knaus)
Erika Kerler, Was se so tuat. Ged. in bayr. Mundart. Grafenau (Morsak)
Paul Kersten, Der alltägliche Tod meines Vaters. Erz. Köln (Kiepenh. & Witsch)
Hanns-Hermann Kersten, Euphorismen & rosa Reime. Stuttgart (DVA)
Ingomar von Kieseritzky, Trägheit. Stuttgart (Klett-Cotta)
Heinar Kipphardt, Theaterstücke 1. Köln (Kiepenheuer & Witsch)
Richard Kirn, Kinematographentheater. Prosa. Usingen (Petri-Presse)
Hans-Chr. Kirsch, . . . und küßte d. Scharfrichters Tochter. Roman. Ffm. (Krüger)
Rainer Kirsch, Amt des Dichters. Essays. Rostock (Hinstorff)
Rainer Kirsch, Auszog das Fürchten zu lernen. Sammelbd. Reinbek (Rowohlt)
Sarah Kirsch, Erklärung einiger Dinge. Gespräch. Ebenh. (Langewiesche-Brandt)
Karin Kiwus, Angenommen später. Gedichte. Ffm. (Suhrkamp)
Dorothea Kleine, Eintreffe heute. Roman. Rostock (Hinstorff)
Karl Kloter, Egon Feldweg. Erz. Zürich (Siemens-Albis AG)
Brigitte Klump, Das rote Kloster. Hamburg (Hoffmann & Campe)
Fritz Knäpper, Sälwer Gestreckdes. Mundartdicht. Remscheid (Ziegler)
Heinz Knobloch, Herr Moses in Berlin. Berlin (Der Morgen)
Dieter R. Knoell, Zur Lage der Nation. Sekundenbuch, Aphorismen. Trier (Breuer)
Fritz Kobi, Mama, entweder Du oder ich. Roman. Gümligen (Zytglogge)
Jürgen Kögel, Sprechen im Dunkel. Erz. Halle (Mitteld.)
Johann-Günther König, Verlieren ist kein Schicksal. Prosaged. Fischerh. (Atelier)
Johann-Günther König, Stellungswechsel. Ged. Fischerhude (Atelier)
Wilhelm König, Du schäddsch raus. Ged. im schwäb. Dialekt. Rothenbg. (Peter)
Wilh. König, Wäar saets denn dassdr Frosch koene Hoor hot. Ged. Eßlingen
   (Schönemann)
Marie Luise Könneker, Mädchenjahre. Neuwied (Luchterhand)
Heinz Körner, Johannes. Erzählung. Fellbach (Amp)
Wolfgang Körner, Im Westen zu Hause. Roman. Recklinghausen (Bitter)
Werner Kofler, Ida H. Berlin (Wagenbach)
Alfred Kolleritsch, Einübung in das Vermeidbare. Ged. Salzburg (Residenz)
Karl Kollmann, Der letzte Atem. Basel (Nachtmaschine)
Wolfgang Komm, Die fünfte Dimension. Erz. Ffm. (Suhrkamp)
Wolfdietrich Kopelke, Grenzstation. Dram. Erz. Bonn (Werkstatt A. Gryphius)
Carmen Kotarski, Wolfsgedichte. Stuttgart (Windhueter)
Carmen Kotarski, Eurydike und die Wölfe. Prosastück. Stuttgart (Windhueter)
Robert Kraft, Das Gauklerschiff. Wien (Prisma)
Susanne Krahe, Rendezvous. Ged. u. Kurzprosa. Hann. Münden (Gauke)
Heinrich Kraus, Haltestellen. Gedichte. Saarbrücken (Saarbr. Druckerei u. Vlg.)
Hanna-Heide Kraze. Stunden mit weißem Segel. Gedichte. Berlin (Union)
Regine Kress-Fricke, Die liebevollen Hinterhöfe. Roman. Fischerhude (Atelier)
Paul Günter Krohn, Brosch. Gedichte. Halle (Mitteldeutscher)
Rainer Kromarek, Katastrophen, frisch & neu. Nürnberg (Kanal Presse)
Horst Krüger, Poetische Erdkunde. Reise-Erz. Hamburg (Hoffmann & Campe)
Michael Krüger, Diderots Katze. Gedichte. München (Hanser)
Harald Kruse, Lagebericht. Prosa und Lyrik. Scheden (Dittmer)
August Kühn, Fritz Wachsmuths Wunderjahre. Roman. Königstein (Autoren Ed.)
Otto-Heinrich Kühner, Blühender Unsinn. Berlin (Henssel)
Günter Kunert, Bucher Nachträge. Berlin (Berl. Handpresse)
Günter Kunert, Camera obscura. Prosa. München (Hanser)
Günter Kunert, Verlangen nach Bomarzo. Reiseged. Leipzig (Reclam)

Jochen Laabs, Himmelsträflicher Leichtsinn. Lyrik. Halle (Mitteldt.)
Jürg Laederach, Das ganze Leben. Roman. Ffm. (Suhrkamp)
Jeanette Lander, Der letzte Flug. Erzählung. Berlin (LCB)
Maria Elfriede Lang-Pertl, Gschliffene Stoandln. Ged. Wels (Welsermühl)
Rudolf Langer, Gleich morgen. Gedichte. Pfullingen (Neske)
Hetty Langhardt, Gedichte. Lahr (Schauenburg)
Bernhard Lassahn, Du hast noch ein Jahr Garantie. Tübingen (Texte)
Christine Lavant, Kunst wie meine ist nur verstümmeltes Leben. Salzburg (Müller)
Ursula Leber, Ein ganz alltägliches Leben. Ffm. (Patio)
Otmar Leist, Im goldenen Westen. Fischerhude (Atelier)
Hilga Leitner, Simone. Mühlacker (Stieglitz)
Hermann Lenz, Tagebuch vom Überleben und Leben. Roman. Ffm. (Insel)
Siegfried Lenz, Heimatmuseum. Roman. Hamburg (Hoffmann & Campe)
Leo Leonhard, Der Prozeß um des Esels Schatten. Neunkirchen (Anrich)
Fritz Lichtenauer, Text und Linie. Linz (ed. neue texte)
Joachim Lindner, Mordfall W. Erz. Berlin (Neues Leben)
Jochen Lobe, Augenaudienz. Gedichte. Reinbek (Rowohlt)
Jürgen Lodemann, Im Deutschen Urwald. Erz., Essays, Ged. Zürich (Diogenes)
Erich Loest, Etappe Rom. Geschichten. Berlin (Neues Leben)
Erich Loest, Es geht seinen Gang . . . Roman. Halle (Mitteldeutscher)
Peter Lotar, Eine Krähe war mit mir. Roman. Stgt. (DVA)
Wolfgang Graf v. Lüttichau, . . . unter anderm sex. Ged. Scheden (Dittmer)
Maria Lutz-Gantenbein, Mond und Spinne. Ged. Zürich (Classen)
Ondra Lysohorsky, Ich reif in meiner Zeit. Ged. Berlin (Union)
Hanns Maassen, Vom Heuberg weht ein scharfer Wind. Erz. Berlin (Tribüne)
Kriemhild Magyari, Ohne Visum und Visier. Hildesheim (Gerstenberg)
Mathilde Maier, Alle Gärten meines Lebens. Ffm. (Knecht)
Carl Mandelartz, Gesicht und Maske. Erz. Duisburg (Gilles & Francke)
Thomas Mann, Tagebücher 1935-1936. Hg P. de Mendelssohn. Ffm. (S. Fischer)
Thomas Mann, Briefe, Regesten und Register. Briefe 1934-1943. Ffm. (S. Fischer)
Otto Marchi, Rückfälle. Roman. Ffm. (S. Fischer)
Thomas Franz Marek, Gustostückln. Ged. i. Wiener Dialekt. Wien (Jasomirgott)
Detlef Marwig, Freiheit kleingeschrieben. Roman. D'dorf (Gebühr)
Gabbo Mateen, Rückschläge. Satiren. Saarbrücken (Schreiber)
Hiasako Matsubara, Brokatrausch. Roman. Hamburg (Knaus)
Heinrich Matthiesen, Die Variante. Roman. München (Bertelsmann)
Trudi Maurer, Bevor s fyschter wird. Gschichte. Bern (Francke)
Renate Mayer, Bayrische Herzstückl. Ged., Erz. München (Hornung)
Friederike Mayröcker, Heiligenanstalt. Roman. Ffm. (Suhrkamp)
Friederike Mayröcker, Schwarmgesang. Szenen. Berlin (Rainer)
Angelika Mechtel, Wir in den Wohnsilos. Pforzheim (Harlekin Presse)
Christoph Meckel, Kranich. Erz. Köln (Braun)
Christoph Meckel, Erinnerung an Johannes Bobrowski. Düsseldorf (Eremiten)
Christoph Meckel, Licht. München (Nymphenburger)
Inge Meidinger-Geise, Europa-Kontrapunkte. Gedichtzyklus. Lahnstein (Calatra)
Herbert Meier, Bräker. Komödie. Zürich (Neue Schauspiel AG)
Karl Meister, Gastweise. Gedichte. München (Relief)
Hans-Martin Meiswinkel, Orchidee und Aldebran. Gedichte. Dortmund (Wulff)
Klaus Merz, Latentes Material. Erz. Aarau (Sauerländer)
Paul Michael Meyer, Mallorca bei Bern. Mundartkomödie. Elgg (Volksverlag)
Curt Meyer-Clason, Erstens die Freiheit . . . Tagebuch. Wuppertal (Hammer)
Gerhard Meyerratken, Kneipentheater. Münster (Kaktus)
Elisabeth Meylan, Im Verlauf eines einzigen Tages. Zürich (Arche)
Elisabeth Meylan, Die Wörter herankommen lassen. Ged. Zürich (Arche)
Leonhard Michaels, Trotzkis Garten. Prosa. Reinbek (Rowohlt)
Ingeborg Middendorf, Die Fehlgeburt. Der Abgang. Tübingen (Texte)
Elisabeth Miehe, Freesien und Abendrauch. Ged. Goslar (Horizont)

Felix Mitterer, Schmankerl. Feldafing (Brehm)
Ilse Molzahn, Der schwarze Storch. Roman. Berlin (Aufbau)
Fanny Morweiser, Ein Sommer in Davids Haus. Roman. Zürich (Diogenes)
Heide Moser, Im Schneckenhaus. Schallstadt-Mengen (Areal)
Rolf Moser, Kohlensäure. Gedichte. St. Gallen (R. Moser)
Hans Mühlethaler, Die Fowlersche Lösung. Roman. Gümligen (Zytglogge)
Günter Müller, Am schwarzen Brett. Ged., Prosa. Fischerhude (Atelier)
Heiner Müller, Mauser. Berlin (Rotbuch)
Karl Münch, Im Krieg und in der Liebe. Roman. Düsseldorf (M. v. Schröder)
Caroline Muhr, Huberts Reise. Roman. Köln (Braun)
Fritz Muliar, Die Reise nach Tripstrill und zurück. Wien (Mundus)
Hubert Mumelter, Feuer im Herbst. Erzählung. Bozen (Athesia)
Herbert Nachbar, Ein dunkler Stern. Roman. Berlin (Aufbau)
Otto Nagel, Die weiße Taube oder das nasse Dreieck. Roman. Halle (Mitteldt.)
Heidi Nef, Zerspiegelungen. Roman. Aarau (Sauerländer)
Josef Neubauer, Im Zeichen der Fische. Ged. Wien (Jugend & Volk)
Erna Maria Neurauter, Regen und Wind. Gedichte. Wien (Schendl)
Martin Neumann, Das Stundenhotel. Roman. Wien (Rhombus)
Erik Neutsch, Akte Nora S. Erzählungen. Berlin (Tribüne)
Dagmar Nick, Fluchtlinien. Gedichte. München (Delp)
Rolf Niederhauser, Das Ende der bloßen Vermutung. Neuwied (Luchterhand)
Christine Nöstlinger, Die unteren sieben Achtel des Eisbergs. Roman. Weinheim
  (Beltz)
Andreas Nohl, Verfolgung des Bartholomé. Erz. Ebenhausen (Langew.-Br.)
Jost Nolte, Schädliche Neigungen. Roman. Ffm. (S. Fischer)
Helga M. Novak, Margarete mit dem Schrank. Gedichte. Berlin (Rotbuch)
Ernst Nowak, Das Versteck. Roman. Salzburg (Residenz)
Joachim Nowotny, Ein seltener Fall von Liebe. Erz. Halle (Mitteldt.)
Armin Och, Die Diplomaten. Roman. Zürich (Schweizer Vlgs.haus)
Leonie Ossowski, Stern am Himmel. Roman. Weinheim (Beltz)
Leonie Ossowski, Blumen für Magritte. Erzählungen. München (Piper)
Alexander Osterhoff, Der blaue Himmel. Gedichte. Köln (Eldra)
Oskar Pastior, Ein Tangopoem und andere Texte. Berlin (LCB)
Oskar Pastior, Der krimgotische Fächer. Lieder, Balladen. Erlangen (Renner)
Heidi Pataki, edition neue texte. Linz (edition neue texte)
Karl Paul, Us der alte Bachlätte. Basel (Pharos)
Gudrun Pausewang, Wie gewaltig kommt der Fluß daher. Roman. Stgt. (DVA)
Steve B. Peinemann, Die Herrschaft der Krokodile. Hamburg (Reents)
Marietta Peitz, Grün, wie lieb ich dich grün. Stuttgart (Radius)
Irmgard B. Perfahl, Fortbewegungen. Ged. Stuttgart (Windhueter)
Willy Peter, Landuuf, landaab. Zwiegespräch in Versen. Winterthur (Gemsberg)
Karin Petersen, Das fette Jahr. Roman. Köln (Kiepenheuer & Witsch)
Hildegard Pieritz, Luftwurzeln. Ged. Duisburg (Gilles & Francke)
Hildegard Pieritz, 6o Sprachbilder zu Collagen v. M. Ernst. Duisburg (G. & Fr.)
Heinz Piontek, Träumen, Wachen, Widerstehen. Prosa. München (Schneekluth)
Heinz Piontek, Dunkelkammerspiel. Spiele, Szenen und e. Stück. Percha (Schulz)
Heinz Piontek, Wie sich Musik durchschlug. Ged. Hamburg (Hoffmann & C.)
Ulrich Plenzdorf, Karla. Der alte Mann, d. Pferd, d. Straße. Texte zu Filmen.
  Berlin (Henschel)
Ulrich Plenzdorf, Die Legende von Paul und Paula und Laura. Roman. Rostock
  (Hinstorff)
Klaus Poche, Atemnot. Roman. Olten (Walter)
Heinz Georg Podehl, Fingerhüte für Gartenzwerge. Ged. Duisburg (Gilles & Fr.)
Clemens Podewils, Wegwarte. Gedichte. Pfullingen (Neske)
Otfried Preußler, Die Flucht nach Ägypten. Kgl. böhmischer Teil. Mchn (Piper)
Reinhard Priessnitz, Vierundvierzig Gedichte. Linz (ed. neue texte)
Norbert Voss, Pröppken. Roman. Düsseldorf (Droste)

Fritz J. Raddatz, ZEIT-Gespräche. Ffm. (Suhrkamp)
Günter Radtke, Glück aus Mangel an Beweisen. Ged. Stuttgart (DVA)
Ulrich Raschke, Ich dachte, heute Nacht. Liebesgesch. Reutlingen (Grube)
Ulrich Raschke, Spielfelder. Fußballgesch. Reutlingen (Grube)
Renate Rasp, Junges Deutschland. Gedichte. München (Hanser)
Clara Ratzka, Zogen einst fünf wilde Schwäne. Roman. Leer (Rautenberg)
Jürgen Rausch, Gedichte. Stuttgart (Klett-Cotta)
Jürgen Rausch, Der Eindringling. Stuttgart (Klett-Cotta)
E. A. Rauter, Vom Umgang mit Wörtern. München (Weismann)
René Regenass, Mord-Steine. Prosa. Bern (Bubenberg)
Ruth Rehmann, Paare. Erzählungen. München (Ehrenwirth)
Jens Rehn, Die weiße Sphinx. Roman. Herford (Koehler)
Arno Reinfrank, Plutonium hat keinen Geruch. Stück. Berlin (D. Lenz)
Hans Peter Renfranz, Das Dorf. Roman. München (Nymphenburger)
Carl Oskar Renner, Der Rebeller. München (Süddeutscher)
Gregor v. Rezzori, In gehobenen Kreisen. München (Herbig)
Gr. v. Rezzori, Greif zur Geige Frau Vergangenheit. Roman. Mchn (Bertelsm.)
Walter Rheiner, Kokain und andere Prosa. Berlin (Agora)
Egon Richter, Der Lügner und die Bombe. Erz. Rostock (Hinstorff)
Franz Rieger, Der Kalfakter. Roman. Zürich (Benziger)
Bernhard Rindgen, Gedichte, Liebesgedichte. Ffm. (Roter Stern)
Luise Rinser, Kriegsspielzeug. Tagebuch 1972-1978. Ffm. (S. Fischer)
Tilla Rizzi-Mertlitsch, Driebt und drlousnt. Ged. Wels (Welsermühl)
Klaus Roehler, Ein Blick i. d. Zukunft jetzt gleich, i. Okt. Neuwied (Luchterh.)
Alma Rogge, Hinnerk mit'n Hot. Plattdt. Gesch. Oldenburg (Holzberg)
Heinrich Roggendorf, Fiebriger Morgen. Köln (Müssener)
Rudolf Rolfs, Wundervolle Scheiß-Liebe. Stories. Ffm. (Die Schmiere)
Arnold Ronacher, Von da Anizn bis zen Zepin. Ged. Klagenfurt (Heyn)
Peter Roos, Genius loci. Gespräche ü. Lit. und Tübingen. Pfullingen (Neske)
Peter Rosei, Nennt mich Tommy. Roman. München (Bertelsmann)
Peter Rosei, Von Hier nach Dort. Roman. Salzburg (Residenz)
Herbert Rosendorfer, Der Prinz von Homburg . . . Biogr. München (Nymphenb.)
Diter Rot, Das Weinen. Stuttgart (Mayer)
Diter Rot, Das Wähnen. Stuttgart (Mayer)
Diter Rot, Das Tränenmeer. Stuttgart (Mayer)
Friederike Roth, Tollkirschenhochzeit. Ged. Neuwied (Luchterhand)
Gerhard Roth, Winterreise. Roman. Ffm. (S. Fischer)
Joseph Roth, Perlefter. Romanfragment. Köln (Kiepenheuer & Witsch)
Robert Roth, Die Flucht. Erzählungen. Bern (Benteli)
Alfred Rottler, Windstille Sonnentage. Gedichte. München (Relief)
Gina Ruck-Pauquèt, Wie in einer Seifenblase. Emanzipationsgesch. Weinh. (Beltz)
Johannes Rüber, Ein Feuer für Goethe. Roman. Freiburg (Herder)
Rudolf Rückl, Ein Bergarbeiter wird Poet. Ged., Tagebücher. Mchn (Die Brücke)
Peter Rühmkorf, Strömungslehre I. Poesie. Reinbek (Rowohlt)
Wolfgang Sämann, Das Haus des Dr. Pondabel. Erz. Rostock (Hinstorff)
Valentin Senger, Kaiserhofstraße 12. Neuwied (Luchterhand)
Bernhard Setzwein, Vareck, bairische Lyrik, Prosa, Szenen. Feldafing (Brehm)
Kurt Sigel, Gegenreden/Quergebabbel. Hess. Mundart. Düsseldorf (Claassen)
Sobota, Der Minus-Mann. Roman-Bericht. Köln (Kiepenheuer & Witsch)
Ossi Sölderer, Auf meiner Strass'n. Texte. Feldafing (Brehm)
Herbert Somplatzki, Schrumpfstories. Erz. Köln (Braun)
Axel Sonnau, Schwangere Geschichten. I. u. II. Hamburg (Zerr)
Uschi Sonntag, Mit wachen Augen. Epis. a. d. Alltag. Köln (Ellenberg)
Ludwig Soumagne, Usjesproche nävebee bemerk. Ged. Rothenburg (Peter)
Gerold Späth, Phönix – die Reise in den Tag. Erz. Pfaffenweiler (Pfaffenw. Pr.)
Joachim Specht, Der Einzelgänger. Roman. Berlin (D. Neue Berlin)
Werner Sprenger, Überprüfung eines Abschieds. Freiburg (Nie-nie-sagen Vlg.)

Sam Süffi, bärndütschi liedli oni note. Bern (Benteli)
Hans-Jürgen Syberberg, Hitler – E. Film a. Deutschland. Reinbek (Rowohlt)
Gerda Szepansky, Der erste Schritt. Erz. Berlin (Ed. Neue Wege)
Klaus Schadewinkel, Zwei Stellen nach d. Komma. Lyrik. Scheden (Dittmer)
Hans Dieter Schäfer, Kältezonen. Gedichte Zürich (Spektrum)
Karol Schärding, Volkstrauertag. Lyrik. Baden-B. (Rinnamara)
Karol Schärding, Deutschlandlied Gedichte. Baden-B. (Rinnamara)
Christian Schaffernicht, Vaterlandshiebe. Fischerhude (Atelier)
Adolf Schaich, Jetz isch letz. Ged. Reutlingen (Knödler)
Hugo Schanovsky, Leidln, lesds eich zaum. Dialektgedichte. Linz (Ööster. Lvlg.)
Margot Scharpenberg, Bildgespräche in Aachen. Ged. Duisburg (Gilles & Fr.)
Otto Schaufelberger, Chnöpf und Bluescht. Geschichten. Wetzikon (Vlg. Wetzikon)
Hans Scheibner, Höhenflüge über der Blechlawine. Gesch. Hamburg (Christians)
Dieter Schenk, Der Durchläufer. Ffm. (Krüger)
Johannes Schenk, Der Schiffskopf. Gesch. a. d. Seefahrt. Reinbek (Rowohlt)
Karl Schib, Ziegler von Schaffhausen. Schaffhausen (Freihand)
Elfriede Schmid. Mit offani Augn. Gedichte. Wels (Welsermühl)
Georg Schmid, Roman trouvé. Roman. Neuwied (Luchterhand)
Alfred Paul Schmidt, Fünf Finger im Wind. Roman. Wien (Europa)
Herbert Schmidt, Das Geschenk. Erz. Freiburg (Herder)
S. J. Schmidt, Das Geruest: hommage á i kant. Breitenbrunn (Werkstatt Brtbr.)
Herbert Schmidt-Kaspar, Das Geschenk u. a. Erzählungen. Freiburg (Herder)
Meike Schmieder, Nachtfrost. Berlin (D. Neue Berlin)
Bernd Schneider, Zum Teufel! 52 Versuche, sie alle dorthin zu schicken. Mainz
    (Freie Fressen Presse)
Peter Schneider, Die Wette u. a. Erz. Berlin (Rotbuch)
Robert Wolfg. Schnell, Die heitere Freiheit u. Gleichheit. Gesch. Bln. (Wagenb.)
Wolfdietrich Schnurre, Der Schattenfotograf. München (List)
Stefan Schoblocher, Semester für Jürgen. Roman. Halle (Mitteldt.)
Peter Schoder, Der aramäische Zwilling. Rom. Zürich (Wado)
Erasmus Schöfer, Machen wir heute was morgen erst schön wird. Stücke. Fischer-
    hude (Atelier)
Rudolf Scholz, Damals in Belvedere. Roman. Halle (Mitteldeutscher)
Godehard Schramm, Nachts durch die Biscaya. Stücke. Stgt. (Klett-Cotta)
Bernd Schremmer, Ein sonderbarer Entschluß. Erz. Halle (Mitteldeutscher)
Margrit Schriber, Kartenhaus. Roman. Frauenfeld (Huber)
Angelika Schrobsdorff, Die kurze Stunde zwischen Tag und Nacht. Roman. Düs-
    seldorf (Claassen)
Claus B. Schröder, In meines Großvaters Kinderwald. Report. Halle (Mitteldt.)
Mathias Schröder, Linda. Roman. München (Langen-Müller)
Klaus-Dieter Schruhl, Sabah heißt Morgenröte. Leipzig (Brockhaus)
Dieter Schubert, Acht Unzen Träume. Berlin (Neues Leben)
Rosemarie Schuder, Der Ketzer von Naumburg. Roman. Berlin (Aufbau)
Béatrice Schürch, So mängs isch mängisch anders. Bern (Francke)
Peter Schütt, Beziehungen. Lyrik. Fischerhude (Atelier)
Peter Schütt, Klarstellung. Berlin (Tribüne)
Helga Schütz, Mädchenrätsel. Roman. Zürich (Benziger)
Stefan Schütz, Stasch. Stücke. Berlin (Rotbuch)
Max Walter Schulz, Pinocchio und kein Ende. Halle (Mitteldeutscher)
Helmut H. Schulz, Spätsommer. Erz. Rostock (Hinstorff)
Tine Schulze Gerlach, Bürgschaft für ein Jahr. Berlin (Union)
Jutta Schutting, Salzburg retour. Erz. Graz (Styria)
Jutta Schutting, Am Morgen vor der Reise. Roman. Salzburg (Residenz)
Manfred Schwab, Naherholungsräume. Lieder, Ged. Nürnberg (Kanal Presse)
Christoph Schwager, Trotzdäm. Gedicht und Schprüch. Zürich (Wado)
Brigitte Schwaiger, Mein spanisches Dorf. Wien (Zsolnay)
K. H. Schwarz van Wakeren, Weltpoesie u. neue Verse. Ffm. (R. G. Fischer)

Fritz Schwegler, Die Sonne im Finstern Bett. Düsseldorf (Eremiten)
Josef Schweikhardt, Cucufate. Lyrik, Prosa, Collagen. Wien (Rhombus)
Martin Schweizer, Benin. Oder Accra. Text. Wien (Rhombus)
René Schweizer, Ein Schweizerkäse. Basel (Nachtmaschine)
Angela Stachowa. Geschichten für Majka. Erz. Halle (Mitteldt.)
Martin Stade. Vetters fröhliche Fuhren. Erz. Stuttgart (DVA)
Heinz Stauffer, S geit mi ja nüt a . . . Mundartged. Bern (Francke)
Gerhard Stebner, Aneinander vorbei. Texte. Vorw. L. Harig. München (Relief)
Otto Steiger, Alles in Ordnung. Zürich (Sumus)
H. Steindam, Philoktetes. Lehrstück n. Sophokles. Berlin (Bärenpresse)
H. Steindam, Winterfest. Theaterstück. Berlin (Bärenpresse)
Hans-Jürgen Steinmann, Zwei Schritte v. d. Glück. Roman. Halle (Mitteldt.)
Ginka Steinwachs. Marylinparis. Roman. Wien (Rhombus)
Niklas Stiller, Der Tod und das Flugzeug. Prosa, Essays. Reinbek (Rowohlt)
Rudolf Stock, Loch i. Kopf u. mehr des Betrüblichen. Verse, Prosa. Köln (Ellenb.)
Armin Stolper, Jeder Fuchs lobt seinen Schwanz. Rostock (Hinstorff)
Armin Stolper, Die Karriere des Seiltänzers. Erz. Rostock (Hinstorff)
Gerhard Storz, Capriccios. Stuttgart (Klett-Cotta)
Botho Strauß, Groß und klein. Szenen. München (Hanser)
Konrad Strauss, Windegger od. e. Liebe i. Herbst. Roman. Tübingen (Wunderlich)
Manfred Streubel, Inventur. Lyrik. Halle (Mitteldeutscher)
Kurt V. Strohmer, Die Leere lehrt lernen. Ged. Krems (Faber)
Karin Struck, Trennung. Erzählung. Ffm. (Suhrkamp)
Brigitte Struzyk. Lyrik. Poesiealbum 134. Berlin (Neues Leben)
Heinzpeter Studer, Polizist kratzt sich am Kopf nach Tod eines Fußgängers, und
   andere Ergebnisse einer verkehrenden Welt. Zürich (Eigen Hirn & Druck)
Kris Tanzberg, Freie Künste. Gedichte. Hamburg (Reich)
Francisco Tanzer, Stimmen. Tagebuch, Nov., Ged. Köln (Hermansen)
Hannelies Taschau, Luft zum Atmen. Ged. Karlsruhe (Atelier Paysage)
Hannelies Taschau, Landfriede. Roman. Zürich (Benziger)
Wiesent Tata, Pommes m. Mayo. Ged. u. Geschichten. Witten-Annen (Knöterich)
Hannes Taugwalder, Aes verfaat appa nid. Aarau (Glendyn)
Otto Teischel, Menschsein. Goslar (Horizont)
Jürgen Theobaldy, Sonntags Kino. Roman. Berlin (Rotbuch)
Friedel Thiekötter, Schulzeit eines Prokuristen. Roman. Köln (Braun)
Eugen Thiemann, Kimmeriens Kiel. Hamburg (Christians)
Axel Thormählen, Hanky. Roman. Hamburg (Merlin)
Max Thürkauf, Die Tränen des Herrn Galilei. Zürich (Classen)
Uwe Timm, Morenga. Roman. Königstein (Autoren Edition)
Wolfgang Trampe, Verhaltene Tage. Roman. Berlin (Aufbau)
Käthe Trettin, Philosophie des Tanzes. Berlin (Amazonen Frauen-Verlag)
Thaddäus Troll, Der himmlische Computer. Gesch. Hamburg (Hoffmann & C.)
Artur Troppmann, Zeit-Gedichte. München (Damnitz)
Kurt Tucholsky, Die Q-Tagebücher 1934-1935. Reinbek (Rowohlt)
P. Turrini, Turrini-Lesebuch. Stücke, Pamphlete, Filme, Reaktionen. Wien (Europa)
Peter Uhlmann, Passwort. Gedichte. Zürich (Spektrum)
Horst Ulbricht, Kinderlitzchen. Roman. Reinbek (Rowohlt)
Erich Vio, Die gesenkte Fackel. Lyrik. Köln (Ellenberg)
Jürgen Völkert-Marten, Cinema. Gedichte, Spots. Scheden (Dittmer)
Jürgen Völkert-Marten, Hoffnung wie Schnee. Texte. Gelsenkirchen (Xylos)
Manfred Vogel, Der Berg des Alten Mannes. Erz. Nürnberg (Kyrenia)
M. Vogel, Aufzeichnungen e. Käfigbewohners. Biogr. Roman. Nürnbg. (Kyrenia)
M. Vogel, Die Jahre fallen v. mir ab wie reife Äpfel. Ged. Nbg. (Kyrenia)
M. Vogel, Zwischen Mohnblumen liegen. Kurzroman. Nürnberg (Kyrenia)
M. Vogel, Odysseus endgültige Rückkehr. Roman. Nürnberg (Kyrenia)
Friedrich Emil Vogt, So ischs! Schwäb. Mundartdicht. Stuttgart (Steinkopf)
Karin Voigt, Ausgesparter Mensch. Ged. München (Limes)

Heinz Vonhoff, Fang irgendwo an. Erz. Neuffen (Sonnenweg)
Katja de Vries, Glück und Glas. Leer (Rautenberg)
Bernd Wagner, Zweite Erkenntnis. Ged., Sprüche. Berlin (Aufbau)
Gerhard Wagner, Die Tage werden länger. Erz. Zürich (Benziger)
R. L. Wagner, Neonschatten. Erzählungen. Kaufbeuren (Pohl'n Mayer)
Christian Wallner, Freund und Feind. Gedichte und Notate. Salzburg (Winter)
Martin Walser, Der Grund zur Freude. 99 Sprüche z. Erbauung d. Bewußtseins.
   Düsseldorf (Eremiten)
Martin Walser, Ein fliehendes Pferd. Novelle. Ffm. (Suhrkamp)
Silja Walter, Jan, der Verrückte. Ein Spiel. Zürich (Arche)
Silja Walter, Frau mit Rose. Ein Spiel. Zürich (Arche)
Joachim Walther, Stadtlandschaft m. Freunden. Gesch. Berlin (Neues Leben)
J. Monika Walther, Verlorene Träume. Gesch. Münster (Frauenbuchvlg.)
Maxie Wander, Tagebücher und Briefe. Berlin (Der Morgen)
Inge von Wangenheim, Spaal. Roman. Rudolstadt (Greifen)
Annemarie Weber, Rosa oder Armut schändet. Roman. Köln (Braun)
Gertrud Weber. Tage am Rhein. Gedichte. Neustadt (Meininger)
Jakob Weber, Der Unbeugsame. Erzählung. Berlin (Tribüne)
Wolfgang Weck, Am Abgrund der Wünsche. Texte. Köln (Braun)
Konstantin Wecker, Ich will noch eine ganze Menge leben. Songs, Gedichte, Prosa.
   München (Ehrenwirth)
André Weckmann, Fremdi Getter. Gedichte. Pfaffenweiler (Pfaffenweiler Pr.)
Peter K. Wehrli, Katalog von Allem. Zürich (Regenbogen)
Peter K. Wehrli, Katalog der 134 wichtigsten Beobachtungen während einer lan-
   gen Eisenbahnfahrt. Zürich (Regenbogen)
Jürg Weibel, Ellbogenfreiheit. Gedichte. Basel (Lenos)
Bernd Weinkauf, Ich nannte sie Sue. Erz. Halle (Mitteldeutscher)
Hubert Weinzierl, Die Kröten. Grafenau (Morsak)
Walter Weisbecker, Frisch aus de Kelter. Ged. i. Frankf. Mundart. Ffm. (Kramer)
Peter Weiss, Die Ästhetik des Widerstands I. Roman. Ffm. (Suhrkamp)
Theodor Weissenborn, Die Killer. Roman. Köln (Braun)
Andreas B. Wenger, Im Räderwerk d. kargen Jahre. Ged. Zürich (Ed. November)
Rosalia Wenger, Rosalia G.: ein Leben. Gümligen (Zytglogge)
Herbert Wessely, Eisvogel und Sperling. Gedichte. München (Limes)
Jutta Westphal, Und keiner wollte ihn haben. München (Droemer)
Rudi Wetzel, Der Mann im Lodenmantel. Gesch. Berlin (Neues Leben)
Frank Weymann, Der Erbe. Erzählungen. Berlin (Neues Leben)
Wolfgang Weyrauch, Fußgänger, B-Ebene, Hauptwache, Rolltreppe, hinauf,
   hinab. Ged. Ffm. (Patio)
Wolfgang Weyrauch, Hans Dumm. Geschichten. Köln (EVA)
Rainer Wiechert, Nachzeichnungen aus Zufluchtsstätten. Ged., Kurzprosa. Nürn-
   berg (Kanal Presse)
Adolf Winiger, Üsi Wält. Gedichte und Texte in Mundart. Luzern (Raeber)
Gunild R. Winter, Deutschland, mir graut vor dir. Femin. Ged. Basel (Mond-Buch)
Ben Witters, Nebbichs. Ffm. (S. Fischer)
Frank Witzel, Stille Tage in Chiché. Gedichte. Hamburg (Nautilus)
Gabriele Wohmann, Die Nächste bitte! Erzählung. Düsseldorf (Eremiten)
Gabr. Wohmann, Der Nachtigall fällt auch nichts Neues ein. Düsseld. (Eremiten)
Gabriele Wohmann, Streit. Erzählungen. Düsseldorf (Eremiten)
Gabriele Wohmann, Feuer Bitte! Düsseldorf (Eremiten)
Gabr. Wohmann, Grund zur Aufregung. Gedichte. Neuwied (Luchterhand)
Gabr. Wohmann, Frühherbst in Badenweiler. Roman. Neuwied (Luchterhand)
Kurt H. Wolff, Im Haiwasser, Gedichte. Wiesbaden (Heymann)
Gunther Wolf, Stundenbuch. Gedichte. Ffm. (R. G. Fischer)
Gernot Wolfgruber, Niemandsland. Roman. Salzburg (Residenz)
Gernot Wolfgruber, Der Jagdgast. Drehbuch. Salzburg (Residenz)
Hans Wollschläger, Die Gegenwart einer Illusion. Reden gegen ein Monstrum.

Zürich (Diogenes)
Siegfried Wollseifen, Angaben zur Person. Erzähl. Ffm. (Roter Stern)
Ria Wordel, Allerhands vun allerhands Deere, ov künnten dat och Minsche sind?!
Köln (Greven)
Kurt Wünsch, Fischkopp. Berlin (Neues Leben)
Laure Wyß, Mutters Geburtstag. Notizen. Frauenfeld (Huber)
Jürgen Zeh, Glück hat Flügel. Konkrete Poesie. Nürnberg (Kyrenia)
Hans-Joachim Zeidler, Mozart in Monte-Carlo. Satiren. Berlin (Nicolai)
Michael Zeller, Fehlstart-Training. Roman. Aarau (Sauerländer)
Helmut Zenker, Der Gymnasiast. Erzählung. Pfaffenweiler (Pfaffenw. Presse)
Helmut Zenker, Die Entfernung d. Hausmeisters. Gesch. Neuwied (Luchterhand)
O. P. Zier, Traumlos. Erzählungen. Salzburg (Winter)
Heinz-Jürgen Zierke, Karl XII. Roman. Rostock (Hinstorff)
Dieter E. Zimmer, Ich möchte lieber nicht, sagte Bartleby. Ged. Bln. (Rotbuch)
Hans Otto Zimmermann, Ulrich Pini, Ein ziemlich unbewußter Beginn. Gesch.
Berlin (Hozuli)
Hedda Zinner, Auf dem roten Teppich. Berlin (Der Morgen)
Albin Zollinger, Abenteuerlichkeit der Phantasie. Basel (GS)
Roland Zoss, Lieder und Gedichte. Bern (B. v. Greyerz)
Volker HM Zotz, Transformation. Lyrische Texte. Scheden (Dittmer)
Gerald K. Zschorsch, Glaubt bloß nicht daß ich traurig bin. Ged., Prosa. Bln.
(Guhl)
Maximilian Zürcher, Wie s öppe cha goo. Zuger Mundartstuck Zug (Zürcher)
Reinhart Zuschlag, Lichtstreifen. Lyrik. Dortmund (Wulff)
Gerh. Zwerenz, Gesänge a. d. Markt. Satiren, Geschichten, Liebesged. Köln (EVA)
Gerhard Zwerenz, Das Großelternkind. Roman. Weinheim (Beltz)

Anthologien

Almanach 12 für Literatur und Theologie. Ehe. Wuppertal (Hammer)
Anfällig sein. Prosa und Lyrik. Hg. Ruth Mayer. Zürich (Edition R und F)
Auf Anhieb Mord. Hg. Wortgruppe München. Königstein (Autoren Edition)
Aufschlüsse. Begegnungen Darmstädter Autoren. Hg. Fritz Deppert, Wolfgang
Weyrauch. Neunkirchen (Anrich)
Ausgabe 1978. Berlin (Edition Hundertmark)
Auskunft. Neue Prosa aus der DDR. Bd. VI. Hg. Stefan Heym. Königstein
(Autoren Edition)
Auswahl 78. Neue Lyrik – Neue Namen. Anthologie. Berlin (Neues Leben)
Bahnhof. Lyrik und Prosa. Hg. H. Meier. Olten (Kunstmuseum)
Basis 8. Jahrbuch für deutsche Gegenwartsliteratur. Hg. Reinhold Grimm, Jost
Hermand. Ffm. (Suhrkamp)
Belege. Gedichte. Zürich (Artemis)
Bis in die Nacht. Märchen, Bilder, Gedichte. Heidelberg (Ludwig Schmidt)
DDR konkret, Gesch. u. Berichte a. e. real existierenden Land. Hg. Th. Auerbach.
Berlin (Olle u. Wolter)
Das andere Darmstadt Hg. Ronald Lutz und Michael Stühr. Darmstadt (ms edit.)
Dreizeiler Anthologie. Hg. W. E. Richartz, K. Riha. Ffm. (Patio)
Ernte und Saat 1979. Hausbuch. Berlin (Union)
Flugversuche. Texte v. Wolfram Alexander Adam, Jürgen Langowski, Gusto
Gräser, Ute Schacht. Baden-Baden (Werkstatt)
Frankfurter Anthologie 3. Ged. u. Interpretationen. Hg. Marcel Reich-Ranicki.
Ffm. (Insel)
Gegengewichte. Lyrik unserer Tage a. d. deutschspr. Raum d. Schweiz. Hg. Hanns
Schaub. Reinach (Edition Stimmen)

Geschichten aus der Kindheit. Hg. Werkkreis Lit. d. Arbeitswelt. Ffm. (S. Fischer)
1. Gewalt, 2. Vorurteile. Bern (Werkstatt schreibender Frauen)
Glückliches Österreich. Hg. Jochen Jung. Salzburg (Residenz)
Grenzen überwinden. Anthologie zum Xylos Lyrikpreis 77. Gelsenk. (Ed. Xylos)
Haltla. Basel und seine Autoren. Hg. D. Fringeli. Basel (Basler Zeitung)
Heute – und die 30 Jahre davor. Hg. Rosemarie Wildermuth. Mchn. (Ellerm.)
Hier lebe ich. Landschaften und Orte, gesehen von dt. Schriftstellern. Hg. Bartel
    F. Sinhuber. Rosenheim (Rosenheimer)
In diesem Lande leben wir. Gedichte. Hg. Hans Bender. München (Hanser)
In eigener Sache. Frauen und Literatur 7. Münster (Frauenpolitik)
In eigener Sache: Bis Ruhe herrscht im Land. Frauen und Literatur 8. Münster
    (Frauenpolitik)
Jahrbuch 3. Hg. Klaus-Peter Wolf und H. D. Gölzenleuchter. Köln (Braun)
Jahrbuch deutscher Dichtung 1978. Hg. Kurt Rüdiger. Karlsruhe (Karlsr. Bote)
Jahresring 78/79. Stuttgart (DVA)
Karlsruher Almanach für Literatur 78. Karlsruhe (Atelier Paysage)
Katapult extra. Anthologie. Hg. H. O. Dittmer u. G. Henkel. Scheden (Dittmer)
Katalog zur Gegenbuchmesse 1978. Hg. Rainer Breuer. Trier (édition trèves)
Kinder READER. Reihe READER Nr. 3/78. Trier (édition trèves)
Klagenfurter Texte 1978. Hg. Humbert Fink, Marcel Reich-Ranicki, Ernst Will-
    ner. München (List)
Kontext 2. Hg. Marlis Gerhardt, Gert Mattenklott. München (Autoren Edition)
Kriminalgeschichten. Hg. Werkkreis Lit. d. Arbeitswelt. Ffm. (Fischer)
Kurzwaren. Schweizer Lyriker 4. Gümligen (Zytglogge)
Mein Lesebuch. Hg. Heinrich Böll. Ffm. (S. Fischer)
Mein Lesebuch oder Lehrbuch der Beschreibungen. Hg. Alfred Andersch. Ffm.
    (S. Fischer)
Liebe will Liebe sein. Dokumentation ein. lit. Wettbewerbs zum Thema »2 Men-
    schen«. Hg. K. Urban. Dülmen (Verl. D. Steg im Kreis d. Freunde)
Lieder-, Folk- und Kleinkunst READER. Reihe READER Nr. 2/78. Trier
    (édition trèves)
Literaturmagazin 9. Der neue Irrationalismus. Hg. Nicolas Born, Jürgen Man-
    tey und Delf Schmidt. Reinbek (Rowohlt)
Lyrik 78. Hg. Al Leu. Zürich (Edition Leu)
Männerleben. Hg. Cordelia Schmidt-Hellerau. Weinheim (Beltz)
Mauern. Hg. Liter. Union. Saarbrücken (WONS)
Mit gemischten Gefühlen. Lyrikkatalog BRD. Hg. Jan Hans . . . Mchn. (Goldm.)
Nachrichten vom Zustand des Landes. Hg. Rudij Bergmann. Modautal (Anrich)
Nicht alle verlieren ihren Arbeitsplatz. Hörspiele. Hg. Wolfgang Schiffer, Jo-
    hann M. Kamps. Köln (Braun)
»niedersachsen literarisch«. Hg. D. P. Meier-Lenz u. K. Morawietz. Bremerhaven
    (Wirtschaftsverl. NW)
Prisma Minden. Hg. Inge Meidinger-Geise. Duisburg (Gilles & Francke)
Der Prolet lacht. Hg. Werkkreis Lit. d. Arbeitswelt. Ffm. (Fischer)
Protokolle 78/1 und 2. Hg. Otto Breicha. Wien (Jugend & Volk)
Recht auf Arbeit. Ein Lesebuch. Hg. Agnes Hüfner. Fischerhude (Atelier)
S lebig Wort, Alemann. Anthologie vu 31 Mundartdichter us em Badische. Hg.
    Muettersproch-Ges. Lahr (Schauenburg)
Satire – Jahrbuch 1. Hg. Reinhard Hippen und Gerd Wollschon. Köln (Satire)
Die siebente Reise. Utopische Anthologie. Königstein (Autoren Edition)
Skizzen aus der Arbeitswelt. Hg. W. Riedel. Darmstadt (Bläschke)
Spectaculum 28. Ffm. (Suhrkamp)
Spectaculum 29. Ffm. (Suhrkamp)
Sucht. Anthologie. Hg. 37 Autoren. Münster (Kaktus)
Schweizer Autoren 1. Zürich (Wado)
Stadtansichten. Gedichte Westberliner Autoren. Berlin (Herrmann)
Stories in Oliv. Ein Kasernenreport. Dortmund (Weltkreis)

TANDEM 3. Dreieich (pawel pan presse)

Texte zum Anfassen. Hg. Karin Reschke. München (Frauenbuchverlag)

Theaterbuch 1. Hg. Horst Laube u. Mitarbeit v. Brigitte Landes. Mchn. (Hanser)

Tintenfisch 13. Thema: Alltag des Wahnsinns. Hg. H. J. Heinrichs, M. Krüger, K. Wagenbach. Berlin (Wagenbach)

Tintenfisch 14. Jahrbuch: Dt. Literatur 1978. Hg. M. Krüger. Bln. (Wagenbach)

Tintenfisch 15. Thema: Deutschland. Hg. H. C. Buch. Berlin (Wagenbach)

Theaterstücke zum Radikalenerlaß. Hg. Arbeitskreis Theater Frankfurt. Offenbach (2000)

Die Ungeduld auf d. Papier u. and. Lebenszeichen. Hg. B. Morshäuser, J. Wellbrock. Berlin (Ed. d. 2)

Viele von uns denken noch sie kämen durch wenn sie ganz ruhig bleiben. Gedichte von Frauen. Hg. Ingeborg u. Rodja Weigand. Schwiftingen (Schw. Galerie Vlg.)

Vom anderen Ufer od. der zweigeschlechtliche Eros. Anthologie. Hg. 20 Autoren. Münster (Kaktus)

Zwanzig Annäherungsversuche ans Glück. Neue lyr. Texte. Hg. Evang. Forum Berlin. München (Claudius)

Das zynische Wörterbuch. Ein Alphabet harter Wahrheiten. Hg. Jörg Drews & Co. Zürich (Diogenes)

Lieferbare Titel der Quarthefte